日本から世界を変える

# ともいき共生主義

資本主義、共産主義を超えて
真に幸福で豊かな社会をつくるための
思想と実践

柳瀬公孝
Masataka Yanase

# 本書を手にされた方へ

ともいき主義は、宇宙的真理に基づいて、今後の人間社会をつくろうとするものである。それこそ、人類発展のための最善の道、最上の道だと思わないだろうか。

（本文より）

人類は、この世界をつくり出してきた「資本主義」と「共産主義」の思想信条を乗り越えて、今こそ「ともいき（共生）主義」に進むべきだ——私はそのように考えている。

資本主義は「欲得」を動機とするものである。また、共産主義は資本家への「恨み」を動機としている。一方、ともいき主義の動機となるものは、人間の最も根源的な性質である「愛」である。

ともいき主義では、宇宙創造の動機は愛であると定義する。自然界は宇宙的愛に基づいてデザインされたものであり、また、相互に支え合い、助け合いながら自律的に営まれている。それゆえ、宇宙の根本的真理は愛である。

自然の一部である人間においても、愛を動機として共に喜びを得たいという情的衝動が、根底に原動力としてある。「ともいき」とは「共に生きる」こと、それは家庭の為、社会の為、国家の為、世界の為に生きるという思想である。この「ともいきの愛」は永遠にして無限の価値がある。宇宙（地球）資源も、愛による無限の創造力と管理能力をもって活用していくなら、人類の豊かさと幸福に大いに寄与するものとなるだろう。ともいき主義はこれを追求し、実現するための思想である。


さて、本書の目論見とは何か？

ひと言で語るならば、ともいき主義という新しい愛のイデオロギーによって、国と世界を変えることである。

世界を変えるには、まず日本が変わる必要がある。日本が先駆けとなり、世界のリーダーにならなければならないと、私は考えている。なぜなら、日本には歴史的、伝統的にその資質があるからだ。日本がその資質を呼び起こし、変わるためには、本書を通じて読者の一人ひとりが変わる必要があるだろう。

読者の皆さんが本書を熟読することで、ともいき主義の力、すなわち、政治、経済、教育、文化、科学など、あらゆる方面に及ぶその大きな力について深く理解し、行動を起こすことを私は強く望んでいる。

私は世界と国、またこの社会の「オーナーシップ（主意識《あるじ》）」は、私たち一人ひとりに存すると考えている。私たち一人ひとりなしには、世界も国も存在しないからだ。

「主権在民」と言われているように、本来は一人ひとりの国民が主権者として所有者意識・当事者意識を発揮し、政治、経済、教育、文化、科学等を正しい方向へ導かなければならない。ところが、オーナーシップは現在、各自に欠如した状態となっている。民主主義は民が「主《あるじ》」となるはずなのに、「主権の営み（国家経営）は他の誰かにお・ま・か・せ」という状態だから、主権の営みが全く機能していないのだ。今こそ、国民一人ひとりが原点に戻り、オーナーシップに目覚め、主権者としての営みを取り戻すことが大切である。

ともいき主義では国民を「国の主」＝「国主《こくしゅ》」と称している。世界と国の「主」は他誰でもなく、私たち自身だからだ。そして、ともいき主義の根本は、最大の動機である愛と共に、この「国主」にある。国、世界、ひいては宇宙（地球）資源へのオーナーシップに目覚め、各自が国主の意識を持って国と世界を愛し尽くしていくことが大切である。それが共に生きる＝「ともいき」ということだ。

私たちがともいき主義というイデオロギーに目覚め、身近なところから感化を広げていくなら、それは日本に、また世界に広がっていくことだろう。その大きな運動を起こすことが、本書の目的である。

ともいき主義の全体像を表せば、左図のようになる。それは思想にとどまらず、実践を伴ってこそ真価を発揮するものである。ともいき主義の運動は、政治、経済、教育、文化、科学など多岐にわたり、社会の隅々にまで及ぶものとなる。

しかし、実質的かつ具体的に国を変えていくためには、最終的に最高権力となる国家を動かさなければ意味がない。ともいき主義の運動はつまるところ、一人ひとりの国主の力を集結し、政治運動を大々的に繰り広げた時、初めて当初の目的を達成したことになる。

社会を変える運動は、政治運動に帰結する。また、政治運動は政党（選挙）運動に帰結する。したがって、ともいき主義に基づく様々な機運が熟した時、選挙運動に発展することは必定といえるだろう。

政治運動には、その前提となる政治思想が必須である。政治思想が政治家を生み、政党を育てる。その源《もと》となる政治思想は、間違いのない「真理」に基づくものでなければならない。そうでなければ、信頼に足るものにはならないからだ。

ここでいう「真理」とは、永遠・不変・絶対的なものである。もし、真理から外れた政治思想であるなら、国と世界を不幸に陥れることは過去の歴史が証明するところである。その観点からしても、国と世界を変えうるものは、ともいき主義以外にありえない。宇宙の根本的真理から生み出された政治思想は、国と世界を幸福に導くだろう。

## ともいき主義の概念図

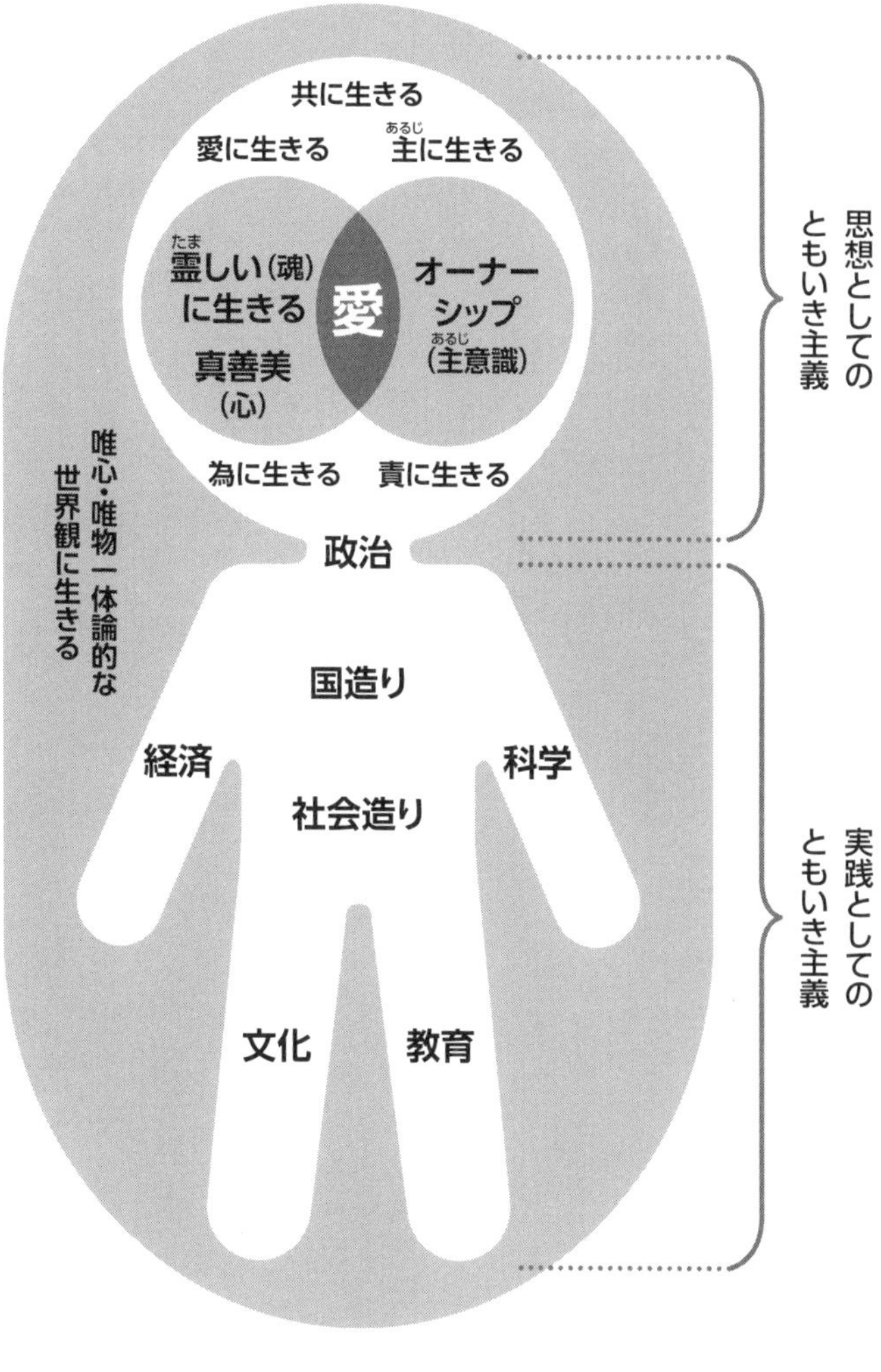
共に生きる
愛に生きる
主《あるじ》に生きる
霊《たま》しい（魂）に生きる
真善美（心）
愛
オーナーシップ（主《あるじ》意識）
為に生きる
責に生きる
唯心・唯物一体論的な世界観に生きる
政治
国造り
経済
科学
社会造り
文化
教育
思想としてのともいき主義
実践としてのともいき主義

私は、ともいき主義という真理に基づくイデオロギーの下、国と世界へのオーナーシップ（主意識）に目覚めた読者＝「国主」と共に、私たちの、私たちによる、私たちのための政治運動を起こしたいのだ。そして、有能な政治家を育て、政党化して選挙戦で勝利し、「ともいき主義に基づく政権」を樹立し、そのマニフェスト（国家経営計画）を通じて、国のあり方と営み（経営）を根底から変えていきたいと考えている。

さらに、日本を変えた後は、ともいき主義に基づく世界的なマニフェストを立案する。それは混乱と闇に覆われた世界に希望を与え、平和と幸福と繁栄に導くことだろう。

日本という国が、ともいき主義を通して世界を愛し尽くしていくなら、その実践は日本を善き世界的リーダーへと押し上げていくだろう。経済力ではなく、軍事力でもなく、愛に基づくイデオロギーによって世界を牽引する存在となるのだ。

私は、ともいき主義に共感し、世界中で活躍できるリーダーたちを各国で育てていくことも考えている。なぜなら、これは世界を変えるための運動であり、地球に暮らす全ての人の理想＝善き世界を実現する道だからである。

読者の中には「そんなことは夢物語だ」と思われる方もいらっしゃるに違いない。しかし私は、日本の伝統文化と精神を深く理解し、先人たちの誇りと尊厳と行動を私たちが思い起こすなら、必ずそれができるという深い確信と自信を持つに至っている。

私だけではなく、読者の皆さんも、本書を読み進めていくうちにその確信と自信が心の奥底からふつふつとわき上がってくることと思う。そして、何とも言い難い、満ちあふれる喜びを体感されるに違いない。

ぜひとも、読者の皆さん！　ともいき主義による愛のイデオロギーにふれ、その永遠の価値観を体得し、国と世界へのオーナーシップを発揮していこうではありませんか。この世界で、「高濃密かつ高効率の高質再生産社会」を実現し、「高付加価値の社会」を追求していこうではありませんか！

一人ひとりが「国主」となり、世界万人の豊かさと幸福の為に生き、国造りをする。国全体が一つの家族となり、共に生き、辛苦を共にし、喜びを分かち合う「大家族共生主義社会」を造る。一人ひとりの「国主」が真善美にあふれる財とサービスを生産し、高濃密で高効率な高付加価値社会を造る――。ともいき主義を実践する豊かな国、幸福度の高い国、スポーツと芸術文化が開花し、子どもも若者も高齢者も生き生きと「ともいき」をなし、生涯にわたって活躍できる国を共に造っていこうではありませんか！

柳瀬《やなせ》 公孝《まさたか》

# はじめに

今、私たちが暮らしているのは、資本主義が席巻する社会である。資本主義では、資本を有する個人や企業が「利潤追求」を目指し、自由競争の下で切磋琢磨することにより、社会や経済の発展に貢献する形をとる。

その一方で、資本主義は勢力を世界全体に拡大していく過程で、人々の中に利己主義、自分本位の生き方を生じさせてきた。弱肉強食、富の偏りによる貧富などの格差、勝ち組負け組、その他を蔓延《まんえん》させてきたのである。さらに、資本主義がもたらした大量生産・大量消費・大量廃棄を前提とした経済は、有限である地球資源を枯渇に向かわせ、天からの大いなる恵みである自然環境にも悪影響を及ぼしてきた。

私は、資本主義はもはや終焉《しゅうえん》を迎えつつあると考えている。否、終焉を迎えなければならない。ならば、資本主義に代わるべき「ポスト資本主義」は何か。

それは「ともいき（共生）主義」である。

ともいき主義とは、共に生きるという姿勢、助け合い、分かち合いの精神に基づいて、政治、経済、教育、文化、科学といった社会全体のシステムをつくり上げるものである。

それにより社会全体が豊かになり、一人ひとりがその豊かさを享受し、幸福を実感しながら暮らせる社会をつくることができる。

国および世界を一つの大きな家族とみなし、地球資源と、そこから得られる利益、さらに辛苦や喜びも皆で分かち合い、共に社会造りと国造りを行うものである。これは、いわば「大家族共生主義社会」とも言えるだろう。

ともいき主義ではオーナーシップ（主意識）を大切にするため、経済においては地球の資源全体に対する責任心情により、これを独占せず公正に分かち合い、有効活用するようになる。付加価値の高い財（商品）とサービスの生産がなされ、得られた利益もまた公正に分配される。それにより、持つ者と持たざる者の格差は少なくなり、豊かさは社会の底辺にまで及ぶ。誰ひとり見捨てられることのない社会になる。

ともいき主義の国は、分断や断絶など存在しない、世界に開かれた国である。そこには「ともいき」に共鳴する世界中の人々が集い、モノ・カネ・情報の豊かな交流が行われる。そして多様性を認め合う環境の中で、質の高い文化が育まれていく。これらは世界の文化の発展に大きく寄与し、民族や宗教を超えた共存共栄の世界が実現していくことになる。

ともいき主義の社会では、私が言う「高質再生産経済」「高効率濃密社会」により、豊かで安定した経済成長が期待できる。それが社会を支える経済的基盤となり、高い効率によって生産性が向上し、全ての物の質が高いレベルで維持される社会となる。それにより余暇も増え、人々の結びつきや絆が強くなり、心身共にますます豊かになっていく。

ともいき主義による安定した経済成長は、高福祉社会をもつくり出していく。豊かさは老後の充実した年金、子どもたちの未来づくりにしっかりと反映され、医療や介護、教育や子育て費用などのほとんどが社会全体で負担される。それにより子どもや高齢者、障がいを持つ人々に至るまで、不安のない現在、未来を存分に生きられるようになる。

それは、きわめて幸福度の高い「ともいき」社会だ。幸福度の高さは「生きる力」の源泉となる。人々は人間的な生活に回帰し、健康的な長寿社会が実現する。誰もが前向きに毎日を過ごせるため、夢や希望を抱いて積極的に新しいことに挑戦するようになる。職業や人生の自由度も高く、スポーツや芸術文化も盛んになるだろう。

さらに、幸福度の高さは周囲に対する優しさに変わり、ボランティアやチャリティ（慈善）など、支え合いや助け合いの精神も高まっていく。一人ひとりが愛とオーナーシップに目覚め、多様性を認め合う中で豊かさを享受できる社会になれば、格差や差別、利害の対立は減り、争いごとが起きそうな時も対話によって解決を図れるようになるだろう。

人々は永遠的価値観に回帰するようになり、真理と愛の実践を好み、自利を超えて利他的に生きるようになる。子どもは笑顔にあふれ、若者は夢に燃え、高齢者も生き生きと暮らし、誰にも等しく生涯にわたって活躍の場が用意されている。

そのような社会をつくることは、果たして可能なのか。

ともいき主義によるならば、可能である。

なぜなら、ともいき主義は政治、経済、教育、文化、科学など社会造りの中枢において重要な役割を担うからである。また、ともいき主義は、人間が生きていくための最も根源的な動機である「愛」に根ざしたものであり、これを大いに喚起するものだからだ。

人生最後の日を迎えるまで、真の意味で人間らしくありたい——。

これを現実のものとするのが、ともいき主義である。ともいき主義は、そのように考える人々にふさわしいものであり、資本主義や社会主義、共産主義に代わる新たな人生の視座、イデオロギーとして受け入れられることだろう。

ともいき主義による政治、経済、教育、文化、科学とは何か。そして、ともいき主義という概念を形づくる思想的かつ歴史的背景は何か。それを詳しく語っていきたい。

日本から世界を変える　ともいき（共生）主義

目次

## 第一章　資本主義、共産主義から「ともいき主義」へ

第二章　**ともいき主義の国造り**

## 第三章　「ともいき」の経済

## 第四章　「ともいき」の政治と教育

## 第五章　「ともいき」の文化

## 第六章 ともいき主義の未来図

編集協力　市村和夫
久保有政
宇佐神　実
装幀　本澤博子
画像　iStock
図表　桜井勝志

# 第一章

# 資本主義、共産主義から「ともいき主義」へ

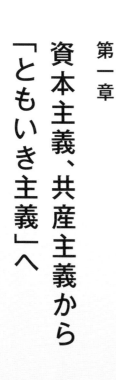

## ■限界を迎えた資本主義と共産主義

近代以降、世界の国々は「資本主義」を中心に社会・経済活動を営んできた。

資本主義は、「生産手段の私的所有」と「自由競争下での利潤追求」を二本柱とする社会システムと言われている。ここでは誰もが自由に金銭や土地、設備等といった資本（生産手段）を私有することができ、これらを持つ資本家が労働者の雇用をはじめとする投資を行って生産に励み、自由競争の原理に基づいた市場において財（商品）やサービスを販売する。そして、各々が獲得した利益は分配され、一部は再び資本として活用されることで社会の発展、経済の成長が促進される、という仕組みである。

ただし、現代の資本主義を俯瞰《ふかん》すると、それは利潤追求に邁進する国や企業、株主ら一部の限られた人々によって、あらゆる産業が支配されている。

たしかに、資本主義は先の二本柱を通じて人類の進歩に寄与するイノベーションを生み出し、社会や経済の発展を後押ししてきた。しかし、その裏側では激しい資源の奪い合いや環境破壊、分断や断絶、差別、富の一極集中による貧富の差など、数多くの負の遺産を生み出してきた。資源と利益の奪い合いは、大規模な紛争や戦争の原因ともなってきたのだ。二一世紀に入り、金融市場が重要視されるようになったことで、ますますその傾向は強まっている。

これは、資本主義というものが人間の一本能である「欲得」と「利己主義」を基礎にするからだ（欲得とは、衣食住など物質的欲求を中心に、利己的に財産・名誉・地位などを得ようとする欲求と結果で、真善美など精神的欲求を中心に、利他的に愛を得ようとする欲求と結果が欠如している状態を言う）。

資本主義は、終わりのない利潤追求と成長を大前提とする。ここに欲得と利己主義が掛け合わさることで、資本となりうるもの、すなわち人や地球資源を際限なく搾取し続け、使い尽くし、枯渇させるという方向に傾いていくことになった。

資本主義の弊害が初めて顕著になったのは、一九～二〇世紀前半にかけてのこと。産業革命が起こった直後から、資本家と労働者の間には著しい格差が生まれた。労働力以外に資本を持ち合わせていない労働者たちは、単に「搾取されるだけ」「使い捨て」のような存在となったのだ。

資本主義の弊害に危機感を抱いた人々はこれを否定し、「社会主義」や「共産主義」を唱えるようになった。

ユダヤ人の思想家カール・マルクス、ドイツの思想家フリードリヒ・エンゲルスは、資本や富の偏った私有、社会的な階級制度をなくし、全ての資本と富を国家全体で共有・管理・分配することで、誰もが幸せになれる平等な社会、すなわち社会主義の国造りを構想した。

また、ロシア革命を主導したウラジーミル・レーニン、それに続くヨシフ・スターリン、中国の毛沢東《もうたくとう》は、社会主義の考え方を一歩推し進めた共産主義に理想郷を求め、暴力革命によって共産主義社会を打ち立てようとした。

しかし共産主義はもともと、資本家への「恨み」を基礎に置いた思想である。人々を突き動かすエネルギーとして、恨みを用いるものだ。この負のエネルギーを原動力とする思想が、人々に平和と幸福をもたらす理想郷を生み出せるはずもない。事実、共産主義革命を最初に成し遂げたソビエト連邦は、成立から一〇〇年もしないうちに行き詰まり、崩壊していった。

中国においても、共産党が一党独裁で支配するようになったが、経済的に行き詰まり、政治体制は共産主義のまま、経済は一九九〇年代以降、資本主義に依存するようになり、最初に掲げていた理想とは大きくかけ離れていった。

社会主義から発展した共産主義は、本来は格差のない平等・公平な社会を目指した思想だった。しかし、実際は働く者だけでなく、働かざる者にも等しく富が分配されるため、次第に人々の勤労意欲や生産性が低下し、経済が停滞するようになってしまった。

また、格差社会を否定しながら、一部の支配者に権力が集中し、彼らが富を独占するという状況が生じた。それだけでなく、無神論（唯物思想）に基礎を置いていたため、社会のあちこちで汚職がはびこり、賄賂が幅を利かせるようになった。

支配者は富と権力の独占を維持するために、人々を監視下に置き、抑圧し、言論を統制するようになった。さらに、反体制とみなされた人々は厳しい弾圧を受けるようになり、数百万、数千万という数の犠牲者が歴史の陰に葬り去られている。

結局、マルクスやエンゲルスが描いた理想は、時々の支配者の都合により、歪められた形で実現し、皆が「平等に貧乏」になっただけでなく、個人の自由は奪われ、平和や幸福とは程遠い社会となったのだ。

その後、共産主義陣営との対立の中で、資本主義陣営にも「修正資本主義」が現れた。これは資本主義の問題点を反省し、その弊害を緩和・解消しようとするもので、格差を縮小し、福祉国家を目指したものである。それにより、問題は若干やわらいだようにみえたが、本質的な問題の解決はなされていない。人間の「欲得」に基づいた資本主義であることは変わらず、それに由来する多くの弊害を今も世界は抱え続けているからだ。

私は、資本主義と共産主義の問題点を解消し、真の意味で社会を豊かにし、幸福度を向上させるのは、「ともいき主義」だと信じている。

漢字で書けば「共生主義」となるが、「きょうせい」には強制、矯正などの同音異義語が多く、講演をする際も聞き間違えられてしまい、意図が正しく伝わらないことが少なくなかった。「共産」と間違えられることさえあった。そのため、最近は大和言葉で「ともいき＝共生」と言い表すことにしている。

ともいき主義とは、単に「共に生きる」という倫理道徳ではない。それは「ともいき」政治、「ともいき」経済、「ともいき」教育、「ともいき」文化、「ともいき」科学など、人間社会の中枢に置かれるイデオロギーであり、一人ひとりの心に根づき、具体的な行動として実践されることで、国や社会の平和と繁栄、個人の幸福度増加の原動力となるものである。

別の言い方をすれば、「資本主義と共産主義の欠点を乗り越え、共に生きるという姿勢を基盤に、社会全体を豊かにし、さらに一人ひとりがその豊かさを物心両面で享受できるような国造りのための思想」である。個人には人間性向上をもたらし、政治、経済、教育、文化、科学など、あらゆるものの質を引き上げ、社会の豊かさと幸福度を増加させ、真に人間的で平和な社会をつくるものだ。

なぜそう言えるのか。その理由をひもといていきたい。

## ■資本主義によらない社会

ともいき主義は、資本主義のように個人や社会の中に格差や断絶をもたらすものではなく、一人ひとりに物心両面の豊かさを提供し、社会全体に喜びや幸せをもたらすものである。また、他者への思いやりや助け合いに基づく政治・経済・教育などを基礎として、社会全体を豊かにしていくものである。

資本主義が産業や技術の発展などを通じて社会に恩恵をもたらしたことは事実だが、あらゆる物事が効率化されて便利になり、人々が物質的な豊かさを享受すればするほど、それと同程度、もしくはそれ以上の負の遺産が生み出されてきた。グローバルの名の下に世界の政治・経済が密接につながり合うようになった今日、その影響は地球規模にまで広がっている。

私が資本主義の終焉を感じ取り、「このままではいけない」と強く認識したのは、二〇〇八年のリーマン・ショックの時だった。アメリカの一企業が破綻しただけでたちまち世界中が大恐慌に襲われ、実直に働いてきた人々が職を奪われてしまった。その予兆はすでに一九九〇年代から散見されていたが、私は改めて、資本主義のままでは決して幸福な社会は到来しないと実感したのである。

同様のことは、多くの人が感じているのではないだろうか。資本主義では「本当に幸福な社会」は決して築けない。それは、世界を取り巻く社会課題が一向に解決されず、むしろ増え続けている事実をみても明白になりつつある。ところが多くの人は、他に良い社会体制を知らないために、やむをえず、それを続けているだけなのである。

私はこれまでにも、自らの事業を通じて資本主義の荒波を幾度も経験してきた。資本主義に翻弄された人生を経て、私はともいき主義こそ、本当に幸福で繁栄する社会を築けるものだと確信するようになった。ともいき主義実現のために、立ち上がらなければならないと決意したのである。

実は近年、資本主義の欠点が明らかになるにつれ、人々の間に志向の変化がみられるようになっている。資本主義における豊かさの象徴は、モノをたくさん持つことだった。ところが昨今は、自分に必要なモノだけを所有し、あとは共有しながら使うといった価値観が主流になりつつある。

たとえば、プルデンシャル ジブラルタ ファイナンシャル生命保険が日本全国の二〇歳以上の男女二〇〇〇人を対象に行った「シェアリング・エコノミーと所有に関する意識調査2016」では、「物を所有するより、得られる体験にお金をかけたいか?」との質問に対し、「そう思う」と答えた人の割合は六九％に上ったという。このように「物を通じて得られる体験（コト）による幸せ」を重視する価値観が強くなっているのだ。

所有欲や富への執着は、貨幣が登場した頃から始まっているが、資本主義が登場して以降、人々はますますこれらにのめり込み、激しく追い求めた。本来、お金には価値の交換や保蔵《ほぞう》、尺度といったシンプルな役割しかなかった。単なる経済活動の「手段」でしかなかったお金が、いつのまにか「目的」にすり替わってしまったのである。

資本主義のベースにあるのは、「資本の最大化が最重要」という思考である。つまり、利益至上主義、あるいは「拡大再生産」と「利潤追求」の考え方である。弱肉強食の熾烈《しれつ》な競争原理の下で、質よりも圧倒的な量を生み出し続ける経済が推し進められた。資源の奪い合いや枯渇、廃棄物には目もくれず、質が良くても悪くても「どれだけ儲けたか」に重きが置かれていた。今日では価値のないものまで売りつけることさえ少なくない。

しかし、人々の価値観が変わった今、多くの人が資本主義によって生み出される財（商品）やサービスに価値を見いださなくなり、量よりも質、物質的な豊かさよりも精神的な豊かさを重要視するようになっている。拡大再生産と利潤追求にまみれた資本主義は、今はっきりと終焉の時を迎えているのだ。

量ではなく質を高めていく「高質再生産」へと向かう流れは、もはや不可逆的なものとなっている。大切なのはGDP（国内総生産）の規模ではない。質の高さなのである。ともいき主義で第一に重視されるのは、財とサービスが人々の生活の向上や幸福、満足感につながるものであるか否か、ということなのである。

経済の目的は、世の中を良く治め、人々を苦しみから救うことにある。そして、誰もが豊かさを享受し、満足感の持てる生活をつくり上げていくことである。つまり、自分本位ではなく、他者を思い、皆を考え、全体に幸福を行き渡らせることだ。

ともいき主義で経済活動に臨む時、それは巡り巡って自らの利益にもつながってくる。他者の幸せが自分の幸せと感じられるようになるからだ。ともいき主義に基づいた経済こそが、他者も自分も、国も世界も繁栄させることができるのだ。

## ■ともいき主義は「愛」を動機とする

資本主義では、人々は「欲得」と「利己主義」を動機として活動し、共産主義では「恨み」を動機として活動する。前者は人間の本能的欲求が歪んだ形で表出したものであり、歪みがあるゆえにその欲求は決して満たされることはない。後者は自らになされた仕打ちに対して抱く負の感情であり、多くの場合、解消方法として復讐や闘争が選択される。そして両者の未来にあるのは、強烈な負のエネルギーによって行われる際限のない強奪や略奪、弾圧となる。

ともいき主義では、人間の最も根源的な性質、「愛」を動機として活動する。より広義に捉えれば、「思いやり」「利他の心」と言ってもいいだろう。

欲得や利己主義、恨みは、必ずしも全ての人に濃厚に存在しているものではない。しかし愛は、家族愛、同胞愛、隣人愛など、全ての人が必ず何らかの形で心に抱いている、人間とは切り離せない普遍的な性質である。

愛という言葉は、かつて仏教的観念の強い時代には執着愛や性愛などを意味した。そのため、日本では長くそのような意味での「愛」理解が一般的だった。その後、西洋の「愛」（love）理解が日本でも広まり、今日では親子愛や夫婦愛、友情、恋愛等のほか、他人に善を処する利他的行為、弱者へのいたわり、動植物や自然を愛でること、物を大切にすることなど、多様な概念や感情を包含しうる言葉となった。それは、仏教の「慈悲」と呼ばれるものに近い。

世界で最も多く読まれている本は聖書だが、そこにも「最も大いなるものは愛（アガペー）である」「愛がないなら何の値うちもない」と述べられている。仏教に限らず、キリスト教においても、人間の最大の価値は愛にあるとしている。

日本では「あなたが人生で最も大切に思うものは何ですか？」との質問に対し、かつては「誠実さ」「仕事」「お金」といった答えが多かったそうだが、近年は「愛」と答える人が増えているという。それほど愛の大切さが認識されるようになったのだ。

従来、社会における価値交換は金銭や物品といった有形のものが中心だったが、昨今は善意や感謝、信用や信頼といった無形のものを通じた価値交換を大切に考える人々も増えている。「ありがとう」「どういたしまして」といった何気ないコミュニケーションを大切にすることで、愛という価値を交換している。そう考えれば、人々の変化にも納得できるのではないだろうか。

明確な根拠は示せないが、世界を飛び交う様々な映像や情報を眺めている限り、これは日本だけでなく、海外諸国でも同様の傾向にあるようだ。コミュニケーションが寸断されたコロナ禍の影響はあるかもしれないが、人々は家庭に、社会に、世界に愛を求め、また実践しようという思いが強くなっている。こうした状況の背景には、少なからず資本主義や共産主義に対する疑念や反発があるように思えてならない。

それならばなぜ、愛を国造りの、経済発展の、人づくりの原動力としないのか？　私はそう強く思うのだ。

愛は最も人間に必要なものである。そして元来、人間の奥深くに強く存在している。家族やパートナーを愛し、子どもを愛し、友人知人を思いやり、大切にする。不幸の中にある人を支える。そして社会を良くしたいと願い、行動する。そこには必ず愛が存在する。それは人が存在する根源的な目的であり、大切に育んでいくことで、人に大きな力をもたらすものだ。

他者への愛を全く持たない人はいないだろう。必ず何らかの形で愛を持っている。愛は利他的であり、恨みをも、欲得をも、利己主義をも超えていく。人々の間に生まれる差異や争いを乗り越える力となり、平和と繁栄と幸福をつくり出す原動力となる。

それを社会の根底に据えたものが、ともいき主義なのである。

資本主義の基礎をなす欲得や利己主義は、基本的に自分だけ、あるいはごく近しい範囲の人しか大切に考えない。共産主義の根底にある恨みは、自分だけでなく周りの人々にも負の影響しかもたらさない。そして、いずれも人間がより良く成長していく上で何ら恩恵をもたらすことはない。

しかし、愛に基づいた社会になると、私たちはどこまでも成長し、真に人間らしくなっていく。憎しみや悲しみ、自暴自棄な気持ちに駆られた時は、愛を失いかけることもあるだろう。それでも、家族や世話になった人々のことを思う時、人は再び愛を取り戻すことができる。愛は決してなくなることがなく、常に私たちと共にあるのだ。

## ■「ともいき」は生命と宇宙の根本

私たちは愛し愛される関係、「ともいき」に生きて初めて潜在的な能力を一〇〇％発揮できるようにつくられている。なぜなら、「ともいき」は生命と宇宙の根本であり、摂理だからだ。

人間は誰ひとり同じ性格、同じ体格を持つ人はいない。自然や生物もまた、一つとして同じものはない。地球や宇宙はもともと多様性に満ちあふれており、それを認め合い、受け入れることがこの世界の真理である。多様性を認め合うことは、人間本来の姿なのである。多様性を認め合ってこそ、愛し愛される関係が成り立ち、そこに意味が生じる。人間だけにとどまらず、あらゆる生物も、自然も、宇宙もそこに含まれる。

人体もそうである。

従来、人体は脳が司令塔として体の各部に指令を送るという、中央集権的なネットワークで機能していると考えられていた。ところがその後――NHKスペシャル「タモリ×山中伸弥『超人たちの人体』」（二〇二一年七月放送）でも紹介されていたことだが――実は、脳だけでなく約六〇億個もの細胞が、対等の立場で情報をやりとりする分散型ネットワークであることがわかったという。

たとえば「酸素がもっとほしい」「たんぱく質が足りない」など、全身の細胞が伝達物質を出し合い、「会話」をすることで、各部から必要な機能が提供され、生命や健康を維持し合っている。こうした事実が明らかになり、科学界では「全身の細胞は多様だが、対等である」というパラダイムシフト（劇的な考え方の変化）が起こった。

つまり、全身の細胞が持ちつ持たれつ、「ともいき」の関係で成り立っていることがわかったのだ。各細胞も臓器も、支え合い、助け合っている。上下の格差はなく、中央集権支配でもない。各自が自律的に、対等の立場で「ともいき」をなし、それによって人体という驚異の生命システムがつくられ、維持されている。

これと同様に、自然界には「ともいき」が至るところにみられるのだ。

多くの人は、自然界は弱肉強食や適者生存の論理で成り立っていると考えているが、実はそうではない。たとえば私たちが小学校で習ったように、植物の生育には炭素、水素、酸素、窒素、マグネシウム、カルシウム、カリウム、硫黄、リン、鉄の十元素が必要である。ところが、このうち窒素とリンは、植物が根から直接取り込むことはできない。

では、どうするのか。樹木の根と共生している菌類が、窒素とリンを根が吸収できる化合物に変換してくれているおかげで取り込めている。一方、この菌類は植物から離れて単独で増殖することはできない。つまり、両者は「ともいき」の関係でのみ存在している。

アメリカの微生物学者リン・マーギュリス教授（マサチューセッツ大学）や、四方哲也《よもてつや》教授（大阪大学）も、微生物が弱肉強食、適者生存、自然淘汰で生きているのではなく、「共生」で生きている事実を実験的に明らかにしている（金子隆一・中野美鹿『大進化する「進化論」』NTT出版）。

実は人間も、微生物の力を借り、彼らとの「ともいき」を通じて健康を維持しているという。ノーベル賞を受賞した遺伝学者ジョシュア・レーダーバーグは、「サイエンス」誌に次のように書いている。

「人間は、共生微生物とヒトから構成されている超生物である。人間にとって、共生微生物はきわめて重要な存在であり、大切にしなければならない」

つまり、人の口腔、鼻腔、喉、肺、胃、小腸、大腸、皮膚、膣など、あらゆる場所に膨大な数の微生物がコロニー（居場所）をつくって棲み着き、人間の健康を支えている。たとえば、腸内のビフィズス菌や乳酸菌といった善玉菌は、ビタミンの合成や消化吸収の補助、免疫などに関わり、健康維持や老化防止などに欠かせない。

微生物は、私たちの肉眼では全くみえない。だが無数に存在し、人間との「ともいき」を通じて健康を支えてくれている。つまり、肉眼でみえないものであっても、大切なものは多いのだ。

さらに、私たちはケガや病気を抱えた時、体全体がその部分をいたわり、対処しようとすることを知っている。体の弱い部分を支え、全体でカバーし、「ともいき」で対処しようとする。このように人体にしても他の生物にしても、生命は全て壮大な「ともいき」のシステムで成り立っているのだ。

私は、この世界も人体のような「ともいき」社会になる必要があると考えている。生命と宇宙の真理に基づいた姿になった時、人間社会は真に発展し、繁栄し、幸福なものとなるだろう。それが、最も理に適った人間社会構築のあり方と言える。

さらに詳しくみていけば、生命は全て「ともいき」、あるいは「持ちつ持たれつ」の関係でつくられ、保たれていることがわかる。それは、有名な「生命とATPの関係」にも表れている。

ATP（アデノシン三リン酸）とは、植物、動物、微生物、人間など、全ての生物の体内にある決定的に重要な物質である。生物はATPを有するがゆえに、取り込んだ糖などの物質をエネルギーに変換し、生命活動が維持できるからだ。つまり、どのような生物もATPなしには生きられない。そのため、ATPは「生体のエネルギー通貨」とも呼ばれている。

ところが、このATPは生命活動それ自体がないと生成されないのである。生物はATPがないと生きられず、ATPは生物がないと生まれない。両者は互いがあって初めて存在しうるという持ちつ持たれつの関係にあり、両者が同時に存在し始めなければ、生命は誕生することさえできなかった。

さらに、生体内のATPは実に「高質・高効率」な仕組みで成り立っていることもわかっている。細胞内のミトコンドリア表面にある「ATP合成酵素」が、モーターのように回転しながらATPをつくり出しているというのだ。これはちょうど、ジューサーに野菜を入れ、モーターで攪拌《かくはん》して野菜ジュースをつくる時の様子にも似ている。

分子からなる世界最小のモーターが、全ての細胞内に備えられ、生物のエネルギー源となるATPをつくり出している。このメカニズムはもともと、ノーベル賞を受賞したアメリカの生化学者ポール・ボイヤーが発表し、その後、京都産業大学が世界で初めてその観察に成功している。

これほど高質・高効率な仕組みが、果たして偶然にでき上がるものだろうか。私には何かしらの「意志」が働いているように感じられてならない。

どんな生命も、必要な相互関係を最初から完全に持った状態で出現しなければ、一瞬たりとも生きられない。全ての生命は持ちつ持たれつの関係、「ともいき」の関係があるからこそ存在している。これは弱肉強食でも、適者生存でもない。

人体には、余計なものも無駄なものもない。ＡＴＰを含め、全ての細胞や組織が各自の役割をしっかりと果たしながら、人体という一つの高質・高効率なシステムをつくり上げている。私たち自身が高質・高効率な「ともいき」システムによって実際に存在しているのであれば、私たちが生きているこの世界もまた、高質・高効率な「ともいき」の社会にすることができるのではないか。

現在みられるような長時間労働や、低生産性の「疲れる社会」ではなく、比較的短時間の勤務でも生産性が高く、十分な収入が得られ、余暇を家族と共にいる時間や趣味等に割り当てられるような「活気ある高質・高効率な社会」をつくっていくべきだ。

それが実現した社会においては、人生は単に生活の糧を得るためだけの労働で終わるものにはならない。人は自らの生まれた意味と目的を存分に味わい、夢や希望をたくましく実現しながら、幸せに生きる時間を獲得する。また、「ともいき」による経済は、豊かで安定した経済成長を国にもたらし、社会全体を隅々まで潤すことだろう。私はこれを「高効率濃密社会」、あるいは「高質再生産経済」と呼んでいる。

いかがだろうか。生命も社会も同じ有機体として捉えれば、「ともいき」のシステムが最も理に適っていることに異論をはさむ読者はいないだろう。

これまで人間社会は、自然の摂理に反する進化思想に基づき、その思想を資本主義というイデオロギーに乗せながら社会に広げ、弱肉強食、適者生存に基づく格差社会をつくり出してきた。しかし今、勇気を持って、宇宙の根源的真理である「ともいき」による社会の建設へと大きく舵を切らなければならない。

「ともいき」は人間を含む全ての生命の実相であり、宇宙の根本であり、最も理に適った形である。ともいき主義は、宇宙的真理に基づいて、今後の人間社会をつくろうとするものである。それこそ、人類発展のための最善の道、最上の道だと思わないだろうか。

## ■一人は皆の為に、皆は一人の為に

人間を生物として捉えた場合、それは地球という大きなエコシステムの中で他の生物と同様に子孫を残し、命をつないでいく存在と言うことができる。しかし、人間は心や感情を持った「考える生き物」であり、自らが存在する目的や意味を求めるものである。

では、人間の存在目的とは何か。それは魂（霊《たま》しい）の成長と喜びのためである。

人間は皆、自分の為だけに存在しているものではない。人間は、人と人の「間」で生きている。他者との関係や絆なしに、幸福な人生はありえない。人生は真理を学び、善と愛を実践し、美しい生き方をするためにある。そして、「為に生きる」ことを通じて互いに愛で結ばれた関係の中で幸福を築き、他を支え、また支えられる中で豊かに生きるためにある。すなわち、人生の存在目的は「ともいき」なのだ。そして、この人生の目的を明確に理解した時、人は欲得を超えられる。他者との関係次第で、人間は幸福にもなり、不幸にもなる。「ともいき」はその関係の質を高め、繁栄と幸福を与えるものである。

「一人は皆の為に、皆は一人の為に（One for all, and all for one)」という関係がつくられていく時、そこに大きなパワーが生まれることは、多くの読者が人生の中で一度は経験してきただろう。

家庭では、夫は妻の為に、妻は夫の為に、親は子どもの為に、子どもは親の為に、ということを各々が思う時、その家庭は麗しいものとなっていく。何より、相手を思いやる気持ちは、性のあり方や血縁にかかわらず、共に生活をする人全てに当てはまるものだ。

人間は、利他の心なしには幸福になれないようにつくられている。利己的な人は、一時的な幸せや喜びは得られたとしても、次第に心がすさんでいく。一方、利他的な人はますます豊かになり、笑顔の絶えない人になっていく。与える人はますます与えられる。不思議なことだが、それが世界の真実なのだ。

これは個人だけでなく、企業や組織、社会も同様である。企業や組織に在籍する一人ひとりは「自分や家族が食べるためにお金を稼ぐ」という自分本位の考え方から、一歩進んで対象を広げ、「関わる全ての人の為」「社会の為」「人類の為」に何か貢献できればという気持ちで仕事をすることが大切である。

もし各人がその気持ちで働き、生きていくなら、その先に「ともいき」社会が形成されていく。単に自分だけではなく、誰かの「為に」なる仕事や人生を送ることが当たり前となり、それが原動力となり、社会はさらに豊かに、幸福になっていく。

歴史をひもといてみれば、かつて明治時代の日本は「ともいき」社会に近いものだったように思う。実際、開国したばかりの日本にやってきた西洋人はその光景をみて驚いた、という記録が残っている。

戦いに明け暮れた幕末を経て、国のあり方が根底から覆った明治初期の日本は、まだ混乱状態にあり、多くの日本人は経済的に決して裕福ではなかった。ところが、都市でも農村でも、あらゆるところに「善意や感謝が満ちていた」という。

アメリカの人文地理学者エリザ・R・シドモアは、こう書いている。

「外国からやってくる旅行者の誰もが、この国民から深い恩恵を受けることは確かです。それほど日本人は、世界で際立つ興味深い民族で、しかも感謝の念は特定の個人にだけではなく、日本全体に感じます」

善意や感謝は「一人は全ての人の為に、全ての人は一人の為に」という「ともいき」精神の表れであり、これが日本中に満ちていたということだろう。

日本を訪れたイギリス人教師ジェームズ・メイン・ディクソンはこう書いている。

「一つの事実が、たちどころに明白になる。つまり、上機嫌な様子が行き渡っているのだ。群衆の間にこれほど目につくことはない。彼らは明らかに、世の中の苦労をあまり気にしていないようだ」

社会的な階級や貧富の差にかかわらず、日本の人々は自分だけでなく、誰かを喜ばせ、楽しませるために、生活の中に大小様々な楽しみを見つけ出し、つくり出していた。それにより幸福感が日本中に行き渡ることで、感謝と上機嫌に満ちていたのだろう。

当時、ヨーロッパでは産業革命が進行し、資本家による搾取が悲惨な状況を生み出していた。虐《しいた》げられた人々の間には暗い心情が蔓延し、精神を病む人も多かった。それを踏まえれば、西洋の人々が日本人をみて驚嘆したのも当然と考えられる。

もう一つ、彼らが日本のどこに行っても必ず目にしたのが、笑顔だった。喜びや悲しみは皆で分け合い、困りごとがあれば互いを支え合い、助け合う。日本人の根底にある「ともいき」精神が、老人から子どもに至るまで広く行き渡っていたからこそ、人々は笑顔を絶やすことがなかった。

アメリカの動物学者エドワード・S・モースは、明治の日本人がいわゆる野蛮人ではなく、「キリスト教国以上にキリスト教的な生き方」をしていることに驚き、「それについては一冊の本を書くこともできるくらいである」とまで述べている。キリスト教では人は「愛されることによって安息し、愛することによって満足する」存在と言われる。明治の日本は、キリスト教の文化に根ざした西洋以上に愛が行き渡った場所だった。

七カ月にわたって日本中を旅したイギリスの紀行作家イザベラ・バードも、「世界中で日本ほど婦人が危険にも無作法な目にも遭わず、まったく安全に旅行できる国は他にない」と書き残している。現在もインバウンドでやってくる多くの外国人が日本の治安を高く評価しているが、明治の時代もそれは変わらなかった。長きにわたり育まれてきた道徳観や倫理観により、人を貶《おとし》めたり、傷つけたりすることはせず、互いを敬い、いたわり合うことが尊重されていたのだ。

明治時代は産業にしても文化にしても、日本史上類をみないほどの飛躍的な発展を遂げた時代である。その根底にあったのが、ともいき主義だったことがわかる。一人ひとりの無意識レベルにまで根づいていたこの気質が、思想や行動の基準となるイデオロギーだったのである。

明治を代表する日本人、西郷隆盛は「敬天愛人」という言葉を残している。「天を敬い、人を愛すること」、すなわち「天と共に生き、人と共に生きる」というともいき主義が国家発展の巨大な原動力となったのだ。

今を生きる私たちは、脈々と受け継がれてきた日本人のイデオロギー、すなわち、ともいき主義を再び取り戻す必要があるだろう。そして、より良い未来を築いていくために、ともいき主義をもって世界に打って出るべきである。なぜなら、ともいき主義は日本と世界を変える力を持ち、また実際に変えてきたからだ。これを過去の話にせず、未来につなげていくことが大切なのである。

## ■国難を解決するもの

人間も自然も他の生命も、全てはつながり、連携し、持ちつ持たれつの関係で支え合っている。「ともいき」こそが人間本来の生き方であり、社会のあり方である。実際、人や自然を敬い、共存しながら生きてきた日本人は古来、「ともいき」が最も大切であると無意識下で理解していた。

私がともいき主義を唱えているのは、つまりは先祖返りの思想と言ってもいい。私が目指しているのは、ともいき主義に今一度光を当て、力を持たせ、現実世界を切り拓いていく原動力とすることにある。

なぜなら、現在の日本は国難とも言えるほど多くの問題に直面しているからだ。問題山積の現代において、最も必要なのはともいき主義であり、これ無くしては国難を乗り越えることはできない。

日本は今、大きく三つの問題を抱えている。経済問題、少子高齢化、精神的退廃の問題である。

国家と地方は一二〇〇兆円以上の債務を抱え、基礎的財政収支は毎年大幅な赤字を続けている。日本人の平均給与は三〇年以上も上昇せず、平均年収は韓国にも追い抜かれてしまった。この「失われた三〇年」で、日本人がどれほど多くの富を失ったかしれない。

加えて、二〇二二年二月に始まったロシアのウクライナ侵攻が世界経済を揺るがしている。原油高、小麦高その他インフレが進み、食糧危機の到来も言われている。その長期化により、リーマン・ショック以上の金融危機が近いと警鐘を鳴らすアナリストもいる。

豊富な資源を持ち合わせていない日本にとって、最大の資源は「人」である。しかし、歪《いびつ》な形をした人口ピラミッドが象徴するように、日本は着実に少子高齢化、人口減少へと突き進んでいる。「子どもを産まない」という選択と共に、経済的な理由から「子どもを産めない」という人も増えている。合計特殊出生率（一人の女性が生涯で産む子どもの数に相当）や生産年齢人口（一五～六四歳）が減少する一方で、六五歳以上の高齢者数は人口の三割に迫っている。現状、移民政策には消極的なために人口増加は望めず、少子高齢化は今後ますます加速していくだろう。

人口が減ることは国力の低下を意味する。アメリカの実業家イーロン・マスクは「日本はいずれ消滅してしまうだろう」とツイッターで日本を揶揄《やゆ》し、著名投資家であるジム・ロジャーズも「このままでは日本は世界最大の苦痛を味わうことになる」と指摘し、「このような日本に投資する気にはなれない」としている。

彼らに言われるまでもなく、少子高齢化が進行する一方で現在の日本の社会システムが変わらないとすれば、いずれ社会が機能しなくなるのは必至だ。六五歳以上の高齢者の割合は、二〇四五年には三七％に達するという。その頃には一人の高齢者を一・四人の生産年齢人口で支えなければならない。年金、医療、介護費の負担はますます重くなっていくだろう。

他方、フランスもかつては日本と同様、少子化問題に苦しんでいた。しかし、低下を続けていた出生率は、近年二・〇付近にまで回復させることに成功している。その背景には、家族給付が手厚く、第三子以上の子を持つ家族に有利とした仕組みがある。さらに、保育所の拡充で子育て環境の充実を図るなど、多方面から少子化対策を進めている。

フランスは、国が本気で国民と「共に生きる」姿勢をみせ、出生率回復に成功した。日本も、国が「ともいき」の姿勢と方策を本気になってみせなければ、近い将来には大変な苦難が待っているに違いない。有名無実の取り組みをやめ、いち早く手を打たなければ、手遅れとなるだろう。

また、日本では近年、精神的荒廃が多くの人に及ぶようになった。子どもの世界ではいじめと自殺が増加し、若者は未来への希望をなくし、自信をなくし、結婚願望も薄くなり、老人は不安に駆られている。経済的な困窮と共に、道徳観や倫理観、思いやりが欠如したコミュニケーションが、現実世界でもインターネットの世界でも増加している。どの世代にもうつ病と孤独が蔓延し、社会的な善悪の判断がつかなくなり、「キレて、すぐ怒る」人も増えている。精神的に余裕がなくなっているのだ。

これらは現代の資本主義や日本政治の限界を端的に表している。旧来の主義や体制が行き詰まっているのは明らかである。今こそ革新的な主義と体制が必要だ。

その軸となるのが、ともいき主義である。それは一人ひとりを活気づけ、勇気づけ、後述する「自助、共助、公助」、および「三方良し」の社会造りにより、国を建て直すからである。それにより、子どもは笑顔を、若者は夢と希望を取り戻し、高齢者も活躍できる社会となるだろう。

## ■EUの礎となった「ともいき」

ともいき主義は、万人に等しく存在する愛という性質を喚起し、社会の原動力にしていく時、社会の繁栄と幸福度が増していくという考え方である。「理想論にすぎない」「人間は欲得で動くものだ」と言う人もいるだろう。しかし欲得の人間が、また自己中心的な企業や国がともいき主義に目覚める時、個人も企業も国も、愛と「ともいき」に生き始めると私は確信している。

ともいき主義による社会は、単なる夢物語や遠い彼方の桃源郷ではなく、人間が本来の姿に回帰することで生まれる。それは次にみるように、現実社会においても実現可能なものだ。ともいき主義が実際に社会を大きく変えたという実例をみてみよう。

有史以来、多民族が入り混じるヨーロッパでは、悲惨な戦争が繰り返されてきた。今から一世紀ほど前も、二つの世界大戦がヨーロッパで勃発し、戦乱に明け暮れていた。

そうしたところに、ともいき主義でヨーロッパを平和と繁栄と幸福の地にしようとする人物が現れた。リヒャルト・クーデンホーフ=カレルギー伯（一八九四〜一九七二年）である。彼の母は日本人であり、彼自身も青山栄次郎という日本名を持っている（正式名はリヒャルト・ニコラウス・エイジロウ・クーデンホーフ＝カレルギー）。

リヒャルトは、オーストリア＝ハンガリー帝国の名門、ボヘミア貴族の家に生まれた。彼はヨーロッパから戦争をなくし、繁栄の地とするには、ヨーロッパが一つの「ともいき国家群」になるほかないと考えた。そして彼は、今日のＥＵ（ヨーロッパ連合）の理論的基礎を構築した。

ヨーロッパにともいき主義にも通ずる「汎ヨーロッパ主義（Pan-Europeanism）」を導入し、自国第一主義ではなく、政治や経済、法律といった社会システムの連携・一体化を図っていく時、戦争はなくなり、社会と国家は繁栄する、と説いたのだ。そして、この思想が起点となってヨーロッパ統合運動が始まり、やがてはその実現がもたらされた。ＥＵは、言語も文化も民族も異なる国同士が互いを尊重することで「ともいき」を実践し、一つになって平和と繁栄を目指すという、人類史上初の壮大な社会実験であった。

ＥＵが始まる以前、国境では検問所でパスポートを見せねばならなかった。今では検問所などなく、ＥＵ圏内では人もお金も物も自由に行き来できる。自分はA国に住んでいるが、毎日働きに出るのは隣のB国という人も多い。貿易にかかる高い関税もなくなり、自由に、安く、物が手に入るようになった。ＥＵ圏内共通の通貨ユーロも発行され、もはや

青山光子（出典：国立国会図書館「近代日本人の肖像」〈https://www.ndl.go.jp/portrait/datas/6014/〉）

リヒャルト・クーデンホーフ＝カレルギー（Rozpravy Aventina, Ročník 2/1926-1927, číslo 5, strana 55. より引用）

両替で高い手数料を払う必要もなくなった。

実は、ヨーロッパ統合運動を起こしたリヒャルトの母、青山光子（旧名・青山みつ）もまた、素晴らしい「ともいき」の人だった。

青山光子は東京・牛込に暮らす一庶民にすぎなかった。しかし、オーストリア＝ハンガリー帝国の駐日大使ハインリヒ・クーデンホーフ＝カレルギー伯が東京の街角で落馬した時、偶然そこに居合わせた彼女が優しく介抱したことをきっかけに、彼女は大使に見初められ、結婚した。そんな二人の間に生まれたのが、リヒャルトである。

リヒャルトは後年、「母がいなかったら、私は決してヨーロッパ統合運動を始めることはなかった」と振り返っている。というのは、青山光子は第一次世界大戦の最中も、民族や敵味方の違いを超えて「ともいき」を実践する人だったからだ。

第一次世界大戦は、オーストリア＝ハンガリー帝国と日本を敵国同士とした。結婚した後、夫と共にヨーロッパで暮らしていた青山光子は敵国出身者となり、周囲の人々から「黄色い猿め！」といった罵声が浴びせられたという。しかし、その中でも光子は耐え忍び、怒りや憎しみに対して同じ感情を返すのでなく、夫を助けた時と同様の愛を批判する人々に示し、自身のふるまいによって彼らの心を変えていった。

それだけでなく、光子は三人の娘と共に、赤十字に奉仕を願い出ている。敵味方にかかわらず苦しむ人々のために働き、前線の兵士が飢えていると聞けば、居住する城の庭に畑をつくり、大量のジャガイモを栽培した。それを袋詰めにして列車に積み込み、奪われないように「男装」して見張りながら最前線に送り届けたという。光子のジャガイモ栽培は終戦まで続けられ、兵士だけでなく市民をも救った。こうしたことを通じて、人々の光子をみる目は次第に変わっていった。ある戦地で苦戦が続いていると聞けば、彼女は勇敢にも現地慰問を実行し、最前線まで足を運んで疲れ切った兵士たちを励ました。兵士らは光子の姿をみると喜び、勇気を奮い起こしたという。

やがて、彼女を批判する者はいなくなった。それだけでなく、彼女の存在は戦乱に明け暮れてきた人々にとって一筋の光となった。彼女にふれた人々は、本当の平和、本当の共存共栄の姿は、言語や文化、民族の違い、敵味方をも超えて彼女が体現する「ともいき」にあるのではないか、と思うようになったのだ。

そんな母の姿をみて育った息子のリヒャルトが、ともいき主義に通ずる汎ヨーロッパ主義を唱え、その実現に生涯を捧げたことは必然だったと言えるだろう。こうした経緯から光子は晩年、「ヨーロッパ統合の母」と呼ばれている。

このように、人類史上初の壮大な社会実験となったEUは、一人の日本人女性の心にあった「ともいき」が遠因となってつくり上げられ、平和と繁栄がもたらされたのだ。ともいき主義がいかに世界を大きく変えうるかという、一つの実例である。

EUの国々は紆余曲折を経ながらも、現在に至るまで大きな争いを起こしておらず、数百年にわたり敵国同士だった国々も、互いに手を取り合い、平和と繁栄を実現している。

このように、ともいき主義は国のあり方、政治、経済、教育、文化、科学に決定的な影響を与えうるものである。

## ■八紘一宇と四海同胞

青山光子の心にあったのは、日本人として幼少から身につけていた「八紘一宇《はっこういちう》」や「四海同胞」の精神であったと考えられる。それら日本人固有の観念が、ヨーロッパに渡った後も、彼女の内でともいき主義として生きていた。

八紘一宇とは、初代天皇＝神武が即位された際、「橿原《かしはら》建都の詔《みことのり》」として述べられたものである。「世界を一つの家族となす」、つまり「世界は一つ屋根の下、一つの大きな家族、人類は皆兄弟」という教えだ（八紘は四方八方全ての世界のこと。宇は屋根の意味）。

多くの人は八紘一宇を、第二次世界大戦中に日本軍が国威発揚のスローガンとして使った言葉として認知しており、戦後、侵略戦争の象徴として誤解されることもあった。しかし、本来はそうではない。東京裁判でも、八紘一宇は「ユニバーサル・ブラザーフッド（普遍的兄弟主義）」などと訳されている。

こんな話もある。日本陸軍の中将を務めた樋口季一郎は、二万人とも言われるユダヤ人難民を救ったと伝えられているが、実はその動機となったのも八紘一宇だった。

彼は一九三八年三月、ナチス・ドイツの迫害を逃れてシベリアに至ったユダヤ人難民が、当時の満州との国境で飢えと極寒にあえぎながら立ち往生していると聞き、何とか助けたいと考えた。

しかし、当時の日本はナチス・ドイツと防共協定を結んでおり、政府も軍部も難民の受け入れに猛反対した。それでも樋口は難民を救うために奔走し、最後は自らの地位を捨てる覚悟で、南満州鉄道の特別列車を国境に向けて走らせ、多くの難民を救った。この時、樋口は難色を示していた関東軍参謀長・東条英機に対して、「八紘一宇は日本の伝統ではありませんか！」と言って説得したという。

助けられた人々の中には、イスラエルで政治や教育、経済などの分野で優れた仕事をした人もたくさんいる。エルサレムにある「ゴールデンブック」（ユダヤ民族を助けた人々を記録する本）には、ナチス・ドイツの支配下でユダヤ人を助けたドイツ人、オスカー・シンドラーなどと共に、樋口季一郎の名が記されている。

八紘一宇とは、世界は一つの大きな家族、人類は皆兄弟という教えである。私もビジネスを行う時は常にこの教えに基づいて活動している。それは、ともいき主義の根本だからだ。

家族ならば、それを構成する一人ひとりの成長と幸せを気にかける。ビジネスでも同様に、お客様、従業員とその家族、取引先など自社に関わる全てのステークホルダーに対して同じ思いを抱く。成長や成功といったものはあくまでもその結果でしかないが、実際にともいき主義に基づいて進めた私のビジネスは、参画した全ての人に恩恵をもたらすことができ、幸いにも大きく発展することができた。

一方の「四海同胞」という言葉は、もともとは論語にある「四海之内皆兄弟也」から派生したもので、東西南北の「四方《よも》の海」の向こうの諸民族は皆同胞、兄弟、という意味だ。大陸から日本に伝わり、日本人の文化や気質と融合し、育まれてきた考え方である。

かつて明治天皇は八紘一宇の思いから、次のような御製《ぎょせい》を詠まれている。

「四方の海　皆はらから（同胞）と　思ふ世に　など波風の　たちさわぐらむ」

日露戦争の開戦にあたり、ロシアも同胞と考えていた明治天皇は、同胞が争うことに心を痛め、詠まれたのだという。同じく、四海同胞を大切にされていた昭和天皇も、米英との開戦が迫る中、何とかこれを回避するべく、政府や軍部の中枢が集う御前会議で、先の明治天皇の御製を二度にわたり読み上げられたという。

このように、八紘一宇も四海同胞も、本来の意味を読み解けば、ともいき主義に相通ずるものである。ともいき主義は古来、日本に受け継がれてきた伝統なのだ。

EU成立に貢献したリヒャルトは、ともいき主義を明確に理解していた。だからこそ、彼は八紘一宇、四海同胞をもとに「大東亜共栄圏」（東アジアとその周辺の共存共栄）をつくらんとする日本の努力に、惜しみない声援を送っていた。

大東亜共栄圏も、八紘一宇と同様、先の戦争において軍部がスローガンとした時、「アジア諸国の資源を確保したい」という思惑を象徴したものだとの批判がある。たしかにそれは事実であろう。一方で、もし仮に言葉通りの共存共栄の世界がつくられていたならば、資源は分かち合われ、繁栄が広く共有されていたということも否定できないのではないか。

最終的に日本は戦争に負け、大東亜共栄圏は実現しなかった。それでもリヒャルトにとって、明治期の思想家・岡倉天心の「アジアは一つ」という大アジアの思想や大東亜共栄圏の思想は、彼が第一次世界大戦後に取り組んだヨーロッパ統合運動のモデルになったと、後年語っている。

日本がアジアにおいて成しえなかった構想を、リヒャルトはヨーロッパにおいて実現した。青山光子からリヒャルトに受け継がれたともいき主義が、ヨーロッパにおいて現実のものとなったのだ。

私たちも今日、自分のできることから「ともいき」を実践し、ともいきの政治、経済、文化、教育、科学を実現していくべきではないだろうか。それが日本を変え、アジアを変え、やがては世界を変えていく道なのである。

人間は、欲得や利己主義、恨みではなく、「ともいき」という大きな愛で結ばれた関係、支え合い、助け合いの絆によってのみ、真の平和と繁栄、幸福が得られる。資本主義や共産主義ではなく、現実世界をより良い方向へ導いていく力を持つともいき主義こそ、二一世紀の人類に必要なものではないだろうか。

ともいき主義は、社会に変化をもたらす思想だが、全くのゼロから発想したものではなく、古来、日本の社会や文化、経済の根底に脈々と流れてきた思想である。

たとえば、新一万円札の顔となる渋沢栄一は「近代日本の資本主義の父」と呼ばれているが、彼が言う資本主義とは西洋流の自分本位の資本主義ではなかった。渋沢の考えは、名著『論語と算盤』につながる「道徳経済合一説」に表れているように、倫理と利益の両立を説くものだ。成功者だけが利益を独占するのではなく、社会全体を豊かにするために、富は全体で共有すべきものとしたのだ。

## ■渋沢栄一と上杉鷹山

渋沢は自身の経済活動の根幹は「合本《がっぽん》主義」にあるとした。これは、国家社会全体の利益(公益)の向上を最上位目的とし、必要な人材や資本を集めて投資し、事業で得た利益は広く社会に分配することで公益に寄与するという考え方だ。このように渋沢が目指したのは、社会全体の豊かさと分かち合い、ともいき主義による経済だったのである。

渋沢は「愛と道徳のない経済は人を幸福にしない」と言った。「正しい道理の富でなければ、富は永続することができない」「欺瞞的で不道徳、権謀術数的な商才は、真の商才ではない」とも述べている。渋沢に限らず、古くから多くの日本人が、こうした健全な道徳観や倫理観に基づいた「ともいき」による社会・経済の大切さを認識していた。

アメリカの元大統領ジョン・F・ケネディは「あなたが最も尊敬する政治家は誰ですか」と問われた際、「上杉鷹山《うえすぎようざん》です」と答えている。これはケネディが、英語で書かれた内村鑑三《うちむらかんぞう》の『代表的日本人』を読んでいたからだろう。

上杉鷹山は江戸時代屈指の名君と言われ、ともいき主義を実践した人である。

一七歳にして米沢藩主となった鷹山は、財政難に苦しむ藩を建て直そうとした際、その根本を「自助、共助、公助」の「三助」に置いた。すなわち、各人が努力する「自助」、近隣住民が助け合う「共助」、最後に国を治める藩が租税に基づき手助けする「公助」の三つである。上杉が述べた三助とは、まさにともいき主義であった。

鷹山は武士を頂点とする階級制度があった江戸時代に、養蚕事業推進を目的として武家の庭など未利用地に桑の木を植えさせ、武士に農業をさせている。当然、「武士に農業の真似事をさせるのか」といった批判が起こったが、自ら城中に植樹して作業を行うなど、率先垂範によって批判を抑えていった。

共助の面では、領民の間に五人組、十人組といった互助組織をつくり、孤児や孤老、障がいを持つ人も分け隔てなく助け合うことを命じている。こうした庶民に寄り添う姿勢や行動と共に、自助・共助を力強く支援する公助の仕組みを整備した鷹山は、多くの賛同者を得て、これを正しく導くことで自藩の危機を見事に乗り越えたのである。鷹山の優れた政策立案力と実行力に、ケネディが共感と尊敬を覚えたことは容易に想像できる。

ケネディが大統領就任演説で、「国があなたに何をしてくれるかではなく、あなたが国に何をできるかを問うてほしい」と語ったことは有名である。これは鷹山を尊敬していたケネディが、三助の思想に影響を受けて語ったものだと言われている。鷹山の三助とは、各人が自助努力をした上で「ともいき」を推し進めるという思想だったのである。

## ■「三方良し」からCSVへ

「ともいき」経済においては、上杉鷹山の「三助」と共に、近江《おうみ》商人の「三方良し」の考え方が大変重要になる。「売り手良し」「買い手良し」「世間良し」の三つの「良し」を目指すことが基本となるのだ。

「三方良し」は、かつて近江国（現在の滋賀県）に安土城を築いた織田信長が城下に敷いた「楽市楽座」（楽に容易に商業を営める政策）の風土から発展していった。織田信長は城下の商工業を発展させるため、通行税を徴収していた関所を撤廃するなど、規制緩和と税制改革を行い、商売がしやすい環境をつくり上げた。この経済の環境整備は、今日の政治においても重要な観念である。

また、あまり知られていないが、諸国からやってきた人々が行き交う楽市楽座は優れたエコロジー（生態学的な文化や経済）都市であり、人々は「和」に則って暮らしていた。そこはいわば、ともいき主義の街だったのである。これらの政策と風土により、近江の商業と産業は飛躍的に発展した。当時、信長に謁見したポルトガル人宣教師ルイス・フロイスは、その賑わいをみて「まるでバビロンの雑踏のようだ」と評している。

近江商人の「三方良し」の初出は、江戸時代中期の近江商人、中村治兵衛宗岸《なかむらじへえそうがん》が孫に残した書置にあるとされている。そこには、自分のことよりもお客のこと、世間のことを大切にして商売すべき、といったことが書かれている。単に売り手と買い手だけでなく、「世間良し」が大切だというこの教えは、ともいき主義とも重なるものだ。

最近はビジネスシーンで「ＷＩＮ―ＷＩＮ」という言葉が使われているが、ビジネスは単に自分と相手が良ければそれでいい、というものではない。むしろ、そのビジネスが世間（社会）の益となり、発展させるものかどうかが肝心なのだ。

二一世紀に入り、「企業の社会的責任」（ＣＳＲ／Corporate Social Responsibility）が叫ばれるようになった。大きな利益を得ていても、不正や隠ぺい、偽装、資源搾取や環境汚染などによって社会に悪影響を及ぼす企業が増えたからだ。その後、気候変動や貧困といった社会問題に対して、企業が果たすべき役割や責任がますます重視されるようになり、「共通価値の創造」（CSV／Creating Shared Value）という考えが登場した。

これはハーバード大学のマイケル・E・ポーター教授らが二〇一一年に提唱した経営モデルで、「経済的価値を創造しながら社会的ニーズに対応することで、社会的価値をも創造する」と定義されている。わかりやすく表現すれば、CSRがボランティアや文化支援のように「企業の本業とは別枠で行う、利益を伴わない社会貢献・奉仕活動」といった意味合いだったのに対し、CSVは「本業を通じて社会問題の解決に直接的に貢献し、同時に利益も追求する」というものだ。

近江商人が数百年も前に「三方良し」の商いを唱え、CSV的な発想でビジネスをしていたように、日本には古くから経済にともいき主義が根づいていた。パナソニックの創業者・松下幸之助も「企業は社会の公器」と語っているように、本来あらゆる企業は社会に貢献することを第一義としているはずだ。しかし、国内外を問わず、資本主義経済が加速する中でその意識は希薄化していった。そして今日、CSVに基づいて事業を行う会社が評価され、多くの投資を呼び込めるようになっているという。

CSVが登場する以前からともいき主義に基づいて事業を行ってきた私からすれば、原点回帰、あるいは悪しき方向からの強制的な揺り戻しが、天によってもたらされたのだと思えてならない。

ビジネスは世間良しにまで到達して、初めて本来の目的が達成される。単に自分と相手の「ＷＩＮ―ＷＩＮ」ではなく、「世間良し」も含めた「ＷＩＮ―ＷＩＮ―ＷＩＮ」でなければならない。それが、ともいき主義の経済なのである。

## ■織田信長の「ともいき」

織田信長は戦いに明け暮れた戦国武将でありながら、国造りにおける経済の重要性をよく理解していた。だからこそ規制緩和や税制改革を断行し、楽市楽座を通して衰退産業から成長産業への転換も支援することで経済を発展させようとした。

今日も変わらず大切なのは、ビジネスしやすい環境をつくることによって経済の好循環を促すことだ。さらに、衰退産業から成長産業への転換、国の発展に必要な新規産業への支援、起業が容易な環境づくりなどを行うことである。

また、経済を発展させていくためには、旧習にとらわれない「柔軟かつ自由な発想」も必要になる。織田信長は普段から商人とも気軽に話し、城下の様子を実際に見聞きしながら旧来の仕組みやルールを大胆に変えていった。また、下層階級の出身にすぎなかった木下藤吉郎（のちの豊臣秀吉）を取り立てるなど、柔軟かつ自由な発想を持つ人物だった。

さらに、黒人がヨーロッパでは召し使い以上になれなかった時代に、宣教師が連れてきた黒人の召し使いを気に入り、その黒人に「弥助《やすけ》」の名を与えて家臣として召し抱えるなど、人種や文化の違いさえも軽々と乗り越える思考の持ち主だった。信長は弥助を重用しただけでなく、いずれは大名にまで育てようと考えていたというから驚かされる。この平等・公平な世界観は、ともいき主義において非常に大切なものである。

信長は非常な傲慢さ等、欠点も指摘されている人物だが、それはともかく、彼は戦国の世を終わらせた先に、人種や身分を超えたともいき主義の社会を描いていたのだろう。

信長に仕えた弥助は、もともと少年時代にアフリカ南東部、現在のモザンビークに来たポルトガル人によって連れ去られ、奴隷にされたという。ポルトガルでは宣教師の学校で教育を受けたようで、素養もあり、日本には宣教師の従者として来ていた。信長はそんな彼を大抜擢し、元の名である「ユーセフ」にちなみ、「ヤスケ（弥助）」と呼んだ。ユーセフとは、イスラエル民族の父祖ヤコブの息子「ヨセフ」からとった名である。

聖書に出てくるこのヨセフについても、少し説明しておこう。

ヨセフもまた、素晴らしい「ともいき」の人だった。ヨセフはエジプトに奴隷として売られながら、謙虚さと誠実さによって頭角を現し、エジプトの王（パロ、ファラオ）に次ぐ地位の宰相にまで上りつめた人である。

ヨセフは、イスラエル出身でありながらエジプト人として生き、エジプト人女性を妻にめとり、宰相として国民と共に生き、エジプトを巨大な繁栄国家に育て上げた。七年にも及ぶ大飢饉が中東世界を襲った時も、エジプトはヨセフの知恵で危機を切り抜けた。それだけでなく、エジプトは近隣諸国の人々にも援助の手を差し伸べている。父のヤコブ一家が飢饉のためにエジプトに避難してきた時も、ヨセフは彼らを助け、イスラエル人と共に生きた。その感動的な対面は有名である。

ヨセフと同様に、弥助も元は奴隷の身分だった。だが、彼は故郷から遠く離れた日本で大抜擢され、日本人と共に生きた。弥助も信長やヨセフと同じく、人種や文化の違いを超えて、相対する人々に尽くすことのできる「ともいき」の人だった。

現在、モザンビークでは「サムライになったアフリカ人」として英雄視され、展覧会まで開かれている。動画配信サービスのネットフリックスでは二〇二一年、オリジナルアニメシリーズ「ＹＡＳＵＫＥ―ヤスケ―」が世界同時配信され、さらにハリウッドでの映画化も予定されている（ハリウッド映画『Ｙａｓｕｋｅ』は、主役のチャドウィック・ボーズマンが亡くなったため公開日は未定）。

エジプトは、ヨセフという「ともいき」の人がいたことで大発展を遂げた。信長も弥助の「ともいき」に様々な形で助けられたようだ。いつの時代も「ともいき」は国の繁栄の支えであり、原動力となったのだ。また、ヨセフや弥助のエピソードは、愛を動機とする「ともいき」が立場や境遇、人種の違いに関係なく、誰もが心に抱きさえすれば実践できるものであることを示している。

## ■「ともいき」による豊かで幸福な社会

今日必要なのは、過去のともいき主義に倣《なら》いつつ、現代版のともいき主義を生み出し、広めることである。私はともいき主義を広め、実践することで、真に幸福度の高い社会が実現できると、強く信じている。

ともいき主義は社会を繁栄させ、人を幸福にするだけでなく、健康と長寿を与える。

世界には、一〇〇歳以上の長寿者が多く暮らす「ブルーゾーン」と呼ばれるエリアがある。それについて詳述した『ブルーゾーン』(祥伝社)の著者ダン・ビュイトナーは、イタリアのサルデーニャ島、日本の沖縄、アメリカ・カリフォルニア州のロマリンダ、コスタリカのニコジャ半島、ギリシャのイカリア島の五カ所が、最も長寿者の多い地域であるとしている。

なぜ、彼らは健康で長寿なのか。もちろん、気候や日々の食事、健康的習慣などの要素もあるだろう。同書の指摘で注目したいのが、これら五カ所に共通して明確にみられるのは「ＴＳＵＮＡＧＡＲＩ」であるという記述だ。家族や友人知人、地域コミュニティとの日常的なコミュニケーションや相互扶助が心身両面の支えになっているのだという。言い換えれば、「ともいき」が健康と長寿の源になっているのだ。

このように「ともいき」社会は、人間本来の生き方が回復し、幸福と健康と長寿の源となる。さらに、「ともいき」社会は、この効能を政治、経済、教育、文化、科学など、あらゆる面に広げ、愛や希望に満ちた実際的な社会をつくり出すものだ。

人々が「ともいき」が最も良い社会形態であることを知れば、ともいき主義は強制的にではなく、自発的に広まっていくことだろう。やがて人々は強い絆で結ばれ、社会の上から下に至るまで全ての人に豊かさと恩恵が及び、国中に希望が広がる。持つ者と持たざる者の格差は少なくなり、豊かさは社会の隅々にまで及んでいく。弱者も強者も、男も女も、生まれによらず、家柄によらず、皆がその豊かさを享受する。それにより、誰ひとり見捨てられることのない社会が形成されていくことだろう。

子どもは笑顔を絶やさず、青年は希望にあふれて一心に夢を追い、高齢者もやる気と健康のある限り生涯にわたって活躍の場が与えられ、同時に社会によって支えられる。まさに「大家族共生主義社会」なのである。

「ともいき」社会では、オーナーシップが大切にされている。それは、自分のことだけを考える利己的な意識ではなく、この国、この世界、この地球の「主」は実は私たち一人ひとりであり、自分なのだという責任心情である。

オーナーシップは、「ともいき」社会を支える重要な柱である。もともと、宇宙も世界も国も、一部の人の所有物ではなく、皆のものだからだ。それゆえ、国や世界に対して、一人ひとりが責任感と使命感を持たなければならない。

ケネディ大統領の言葉、「国があなたに何をしてくれるかではなく、あなたが国に何をできるかを問うてほしい」は、国の本当のオーナーは私たち一人ひとりなのだから、責任感と使命感を持って行動しよう、との意味である。各自がそのような意識に目覚める時、国造りの主役は、実はあなたであり、私だということが真に理解できるようになる。

消費者も企業も「この国のオーナーは自分だ」という意識で行動する時、人々の消費活動や企業の事業活動の質は大きく変わっていく。レベルの高い、魂（霊《たま》しい）に響くものになっていくのだ。

政府の役割はこうした活動を後押しし、支えることである。国は問題が起きてから解決を図るのではなく、過去・現在・未来をしっかりと分析し、「ともいき」社会の実現に向けた道筋をつけなければならない。ともいき主義の世界では、消費者も企業も国もそれぞれのオーナーシップに基づき、心を一つにしてレベルの高い「ともいき」社会を目指すのである。

ともいき主義はまた、民族や宗教を超越した共存共栄の世界をもたらしていく。日本はもちろん、世界中で「ともいき」に目覚めた人々が活発に交流し、豊かな多文化共生社会が育まれていく。

ともいき主義の国では、「高質再生産経済」「高効率濃密社会」により、豊かで安定した経済成長と利益の分配が期待できる。それが社会を支える経済的基盤となり、高い効率性によって生産性が向上し、全てのものの質が高いレベルで維持される社会となる。長時間労働や休日出勤、残業、過労死等はなくなり、比較的短時間の勤務でも十分な収入が得られるようになる。余暇も増え、人々は自分の時間、家族との時間が持てるようになる。誰もが「ともいき」に目覚めることで犯罪は減り、代わりに自分の人生の目的に向かって歩んでいくことになるだろう。

安定した経済成長は、高福祉社会を形成していく。経済的な豊かさと分配によって医療費や介護費、教育費、子育て費用などの大半が社会全体で負担できるようになり、子どもたちの未来づくりにもしっかりと反映される。後期高齢者となっても、意欲ある人は子どもや青年に夢を与える仕事に就いたり、健康が続く限り趣味に精を出したり、人生で得たものを人々と分かち合う機会を持ったりするようになる。

誰もが前向きに毎日を過ごせるため、何歳になっても大きな夢を抱き、起業など新しいことに挑戦するようになる。また、ボランティアやチャリティ（慈善）など、支え合いや助け合いの精神も高まっていく。多様性を認め合う社会によって職業や人生の自由度も高くなり、スポーツや芸術文化も盛んになるだろう。

子どもから高齢者、障がいを持つ人々に至るまで、不安のない現在と未来を存分に生きることができる社会――それは、きわめて幸福度の高い「ともいき」社会だ。幸福度の高さは「生きる力」の源泉となり、巡り巡って「ともいき」社会の質をさらに高めていく力になる。

ともいき主義を理解し、政治や経済、教育、文化、科学などで実践していくならば、そのような世界が実現するのだ。淡い夢だと考える人もいるだろう。しかし、人間はハイビジョン映像のように鮮明な未来像を心に描き、一心に努力をすることで、数多くの夢を実現させてきた。私たち一人ひとりにもその能力は確実に備わっているのだ。

# 第二章
# ともいき主義の国造り

## ■日本が「ともいき」のモデル・カントリーに

今日、北欧諸国は「高福祉」と「ともいき度」の高いことで知られ、出産から教育、医療、老後に至るまで社会保障がきわめて充実していることから、人々の将来に対する不安が少ない社会だと言われている。そうした社会では、人々は貯金に精を出さなくて済む。そのお金を自分や家族のための消費に回したり、応援したい業種や分野への投資に回したりするようになる。それはさらに経済の好循環を生み出す。

一方、日本人は世界一貯金好きと言われる。それは老後の生活、病気やケガ、子どもの教育費などにお金がかかるため、やむをえず貯金に精を出してきたのである。けれども、貯金は国の経済に寄与しない。特にタンス預金はそうだ。

助け合い、支え合いによる高福祉が実現された「ともいき」社会では、健全な形での経済成長を図ることができる。そこから得られる豊かさは、人々の「ともいき」と幸福の度合いをさらに押し上げることだろう。

過去の日本を振り返れば、バブル景気の崩壊後から「失われた三〇年」に突入し、経済は迷走を続け、気づいてみれば世界から取り残されていた。今日、社会保障費の財源が問題になっているが、もし経済成長があったなら、それらは問題にはならなかったと言われている。経済成長がないと、不幸な人が増えるのだ。しかし、経済成長があっても一部の人間だけが富を独占したのでは本末転倒である。だからこそ、皆が等しく経済成長の恩恵を体感できる「ともいき」社会をつくる必要がある。

これは単なる理想論ではない。

私は自社を「共生《きょうせい》バンクグループ」と名づけ、不動産開発事業などを通じてともいき主義の普及拡大を目指してきた。たとえば、一部の者が富を得るのではなく、万人が安定的に収入を増やせるように少額からできる不動産投資プランをつくり、楽市楽座の街を再現するテーマパークをつくり、現在は成田空港の隣接地に巨大な「ともいきの街」を開発中である。さらに規模を拡大したものを他の地につくることも構想しており、最先端のITや環境技術を通じて世界と日本を結ぶ「ともいき」の拠点にしたいと考えている。不動産に限らず、農業やエネルギーなど「ともいき」社会造りに貢献しうる新技術の実用化も目指してきた。

このように一企業でもともいき主義が実践できるのなら、地域や社会、国、世界で実践していくことは十分可能なはずである。

ともいき主義の企業、政治家、教育者、技術者、個人が増えれば増えるほど、「ともいき」社会はその実現に近づいていく。それはやがて、世界にも波及していくことだろう。共産主義のように個人の自由を奪うことはなく、むしろ個人の自由と能力を最大限に引き出し、それらを融合しながら、社会全体の愛によるつながりと幸福度を高めていこうとするものだからだ。

人体を構成する細胞や組織のように、個々人が持てる能力を最大限に発揮し、他者と連携しながら機能していく時、そこには大きなうねりが生まれ、社会全体に豊かさが届けられていく。ＥＵは「ともいき」に目覚めた人々の努力によって、そのような社会に近づきつつある。

人間にとって愛し愛される関係は、根源的なものである。それが具現化した助け合いの社会において、物心両面の豊かさを享受することは、誰もが心の奥底で求めていることなのだ。私たち一人ひとりが「ともいき」の実現を強く願い、日々の生活で実践していくなら、それは十分に達成可能な目標である。

そのためには、政治、経済、教育、文化、科学など、社会の実体的構成要素の中で「ともいき」を具現化していく必要がある。そして何よりも、古来、「ともいき」社会を構築してきた日本が、ともいき主義の最初のモデル・カントリーとなり、世界に発信していかなければならない。

世界は今、再び資本主義と共産主義の対立構造に戻ってしまい、喧嘩ばかりしている。この世界には、人としての正しい姿を示し、家族を叱り、より良い方向へと導く「親」のような存在が必要ではないだろうか。

人としての正しい姿は、「ともいき」に通じるものだ。古くから「ともいき」社会を築いてきた日本人は、世界という大きな家族に平和をもたらすために「ともいき」の国造りを推し進め、家族の模範となるべきではないだろうか。

優れたリーダーは「率先垂範」の人であるという。ただし、実践しても人がついてきてくれないことがある。率先垂範で最も大切なのは、「自分はこんなにやっているのに、どいつもこいつも何という体たらくだ」といった他者を見下すような気持ちを決して持たないことである。そのような素振りや態度が少しでも見えてしまうと、人はついてこない。

また、楽なこと、楽しいことばかりを選択して模範を示すのではなく、人が嫌がるような苦しいこと、つらいことをあえて選択し、率先して模範的行動をすることである。率先垂範においても、利他の精神が大切になる。また、陰日向のない、裏表のない行動と生き方をすることだ。要するに、本物でなければならない。

ともいき主義の推進においても、私たち日本人が本物による率先垂範で優れた模範を示し続けていれば、世界の人々は必ずついてくる。

## ■日本人と「ともいき」の歴史

　ともいき主義の萌芽は、アジアでは紀元前六世紀に中国の孔子が説いた教えにみることができる。孔子が説いた「仁」は思いやり、慈しみを意味する。自他を隔てず、情け深く「ともいき」に生きることを説いた教えだ。孔子は、仁が行き渡った理想世界を「大同《だいどう》」世界と呼び、「権力を独占する者がなく、平等で、財貨は共有、生活が保障され、各人が十分に才能を発揮し、犯罪が起こらない世の中」（礼記《らいき》）としている。

「ともいき」に通じるこの教えは、その後、近代中国における革命家、康有為《こうゆうい》、譚嗣同《たんしどう》、孫文《そんぶん》などの大同思想として引き継がれた。ただし、康有為の大同思想には、黒人は劣等人種と書かれているなど人種差別的考えもあり、不完全だった。孫文は、有名な「三民主義」を説いたが、これは国内諸民族の平等や民主制、国民生活の安定を求めたもので、大同思想を取り入れたものであるが、彼ら近代中国の大同思想は、広大な国土に分布する諸民族の平等や「ともいき」を指すにとどまっていた。

　これに対して、日本古来の八紘一宇、四海同胞の思想は、全世界の諸民族の平等と「ともいき」を述べたものである。それは、人種平等、人類皆兄弟という世界規模の思想であり、古代から現代に至るまで脈々と日本人の中に受け継がれてきたものだ。

そのためか、日本の歴史には明確な形での奴隷制というものがみられなかった。古代には奴婢《ぬひ》と呼ばれる奴隷が一部にはいたが、近代まで明確かつ大規模な奴隷制が続いていたスペインやポルトガル、アメリカ、ロシア、中国や朝鮮半島などとは違っていた。

実際、日本が一九一〇年の日韓併合で朝鮮半島を統治した時、日本が最初にしたことは奴隷解放だった。当時、朝鮮半島の人口の四割を占めていた奴隷を全員解放し、平等の国民としたのである（黄文雄『韓国は日本人がつくった』ワック）。

また、人種差別で言えば、第一次世界大戦後のパリ講和会議で新たに国際連盟をつくるための委員会が開かれた際、日本が「人種差別撤廃提案」を提起したことは有名な話だ。

その内容は「各国民均等の主義は国際連盟の基本的綱領なるに依り、締約国はなるべく速やかに、連盟員たる国家に於ける一切の外国人に対し、如何なる点に付いても均等公正の待遇を与へ、人種或いは国籍如何に依り、法律上或いは事実上何ら差別を設けざることを約す」というものである。

国際会議において人種差別撤廃を訴えたのは、日本が初めてだった。しかし、当時のアメリカ上院では「人種差別撤廃提案が採択されたら、アメリカは国際連盟に参加しない」という決議まで行われており、これは植民地政策を進める国にとっては到底受け入れられないものだった。

それでも日本は委員会の最終会合で、連盟規約前文に「国家平等の原則と国民の公正な処遇を約す」という文言を入れる修正案を提案し、「これは理念を謳っているもので内政干渉ではない。反対するのは他国を平等とみていない証左だ」と主張し、採択を求めた。

その結果、フランス、イタリア、ギリシャ、セルビア、クロアチア、チェコスロバキア、ポルトガル、中華民国などの賛成を得ることに成功し、賛成票が反対票を上回った。

残念なことに、最後は議長国アメリカのウィルソン大統領が「全会一致でないため、本修正案は否決された」と一蹴し、無念の敗退となったが、この結果を受けて日本国内では「そんな国際連盟なら参加する必要はない！」という声が澎湃《ほうはい》とわき上がったという。このことは、誇らしい日本の国民性を物語っている。

古代日本では、聖徳太子（厩戸《うまやど》皇子）が一七条憲法の中で「和をもって貴しとなす」と述べている。彼は和の国、すなわち「ともいきの国・日本」をつくろうとしたのだ。この言葉は、仏教にある「衆縁《しゅうえん》和合《わごう》」の精神に由来するとされており、「如何なる物事も独立して存在するのではなく、条件の異なるもの同士が融け合い、変化し続けながら、この世界を形成している」という意味である。

こうした考えの下、当時から中華主義（世界の中心は中国で、そこから離れるほど野蛮な国になるという考え）の中国に対しても、彼はへつらうことなく対等外交を行った。

## ■三大宗教にみるともいき主義

ともいき主義を新たなイデオロギーとし、社会システムとして具現化するためには、私たち一人ひとりが心に「ともいき」を宿し、実践することが大切である。

かつてイエス・キリストは、ユダヤ教ラビ（導師）が取税人や遊女、犯罪歴のある者などと決して食事をしない時代にあって、彼らを招いて一緒に食事をしながら教えを説いたという。イエスは誰とでも「ともいき」を望んだ。

私たちは、共に生きたいと思わない人とは好んで食事をしないものだ。つまり、食事を共にすることとは、共に生きることの証である。イエスは、究極的には全世界のあらゆる人種、あらゆる民族の人々が「神の国」で食事をし、共生する時が来るという。

「たくさんの人が東からも西からも来て、天の御国で、アブラハム、イサク、ヤコブといっしょに食卓に着きます」（マタイの福音書八章一一節）

イエスが語る「神の国」とは、全世界の人々が「ともいき」で結ばれた国を指す。神と人、人と人が共に生きる世界である。私たちが「ともいき」の思いで行動する時、そこにはささやかな神の国が姿を現す。

また、釈迦《しゃか》は長く一人で黙々と修行をしていたが、悟りを開いて仏陀《ぶつだ》になったと観じた時、その悟りを自分だけのものとはせず、慈悲の心によって全ての衆生《しゅじょう》（人々）に教えを説こうと決意した。彼はその時から、衆生と共に生きる「ともいき」の道を歩み始めたのである。インドにあった身分差別（カースト制）を否定し、平等を説いた釈迦は、「縁起《えんぎ》」（他との関係が縁となって生起すること）の教えにより、宇宙の全ては関わり合いながら生きていること、すなわち「ともいき」でなければならないことを示した。仏教では、仏国土は「ともいき」の世界であると信じられている。

イスラム教でも同様だ。救い主メシア（マスィーフ）がやがて来臨すると、全てのものが共に生きる「ともいき」の理想世界が出現すると信じられている。

「ともいき」の背後には必ず大きな愛がある。愛で成り立つ世界は、全ての人にとって理想であり、真の幸福の源泉となる。様々な宗教が示すように、可能な限り地上をその世界に近づけていく唯一最善の方法が、ともいき主義なのである。

## ■天皇家のともいき主義

現代において、ともいき主義を推し進めるためには、世界のどこかにリーダー的な人々が現れなければならない。どこの国から現れてもいいが、私は日本人がその筆頭にあってほしいと考えている。

というのは、かつてイエス・キリストは「ともいき」の精神を持って生きたが、のちの西洋キリスト教徒は愛を失い、領土拡大や植民地を通した収奪の歴史を繰り返してきた。また、仏教はインドで発祥したが、今日インドに仏教徒はほとんどおらず、大半はヒンドゥー教徒になっている。中国で孔子が説いた「大同」の教えも、一時的には盛んになったが、実現には至らなかった。社会主義や共産主義に至っては、掲げられた崇高な理想は国造りの段階から権力抗争の果てに霧散してしまった。

一方、日本では八紘一宇や四海同胞のように、建国の精神として「ともいき」が大切にされ、その精神は天皇家にも長く受け継がれてきた。たとえば、かつて日本が元寇《げんこう》に襲われた時、亀山上皇は石清水《いわしみず》八幡宮にこもり、「我が身をもって国難に代わらん」と、自らの生命を神仏に捧げて祈願された。

昭和天皇にも次のような逸話がある。

人類の歴史をみれば、敗戦国の君主は自らの保身にはしり、国外逃亡か命乞いをするのが常である。戦後の占領軍総司令官マッカーサーもそのように考えていた。しかし、マッカーサーの回顧録によれば、面会に訪れた昭和天皇は「戦争の全ての責任は、元首である私にあります。私の生死は閣下次第であります。しかし、たとえ私がどうなっても、どうか（困窮する）国民を助けて頂きたい」（土下座されたとも伝わる）と語ったそうだ。「ともいき」に生きる昭和天皇の姿に感動したマッカーサーは、本国アメリカにウソをついてまでも日本への食糧支援を増やしたという。

二〇一一年の東日本大震災で、各地が壊滅的な被害を受けた時、明仁《あきひと》天皇（今の上皇陛下）は――これは当時マスコミでは報道されず、のちに宮内庁職員が話してくれたことだが――皇居の賢所《かしこどころ》にこもり、三日三晩食事もとらず、国民の安寧のために祈られたという。明仁上皇も「ともいき」に生きた人なのである。

日本に生きる私たちは、心の奥底に「ともいき」を等しく持ち合わせていると、私は信じている。大切なのは、内に眠っているものを喚起し、発露させることで、日本と世界を変える原動力に育てていくことである。

日本人は古くから、凜《りん》とした心をもとに優秀性を発揮してきた人々である。ともいき主義の推進においても、私たちはその優秀性を発揮できる立場にある。

約三〇〇年にわたり続いた江戸時代は、世界にもまれにみる天下泰平の時代だった。アメリカの歴史家スーザン・B・ハンレーは、「当時、貴族に生まれるならイギリスがよかった。しかし、庶民に生まれるなら日本がよかった」と書いている。

西洋諸国やアジアでは庶民が虐げられていた時代に、日本の庶民の幸福度と生活レベルは高かった。各地に寺子屋や私塾が設けられ、庶民は読み書きを習っていたが、ここで培われた教養や「ともいき」精神が、世界史にも影響を与えた明治維新という一大変革の原動力となった。

西洋列強が跋扈《ばっこ》していた明治時代の日本は、日露戦争で大国ロシアに勝利しているが、当時、有色人種が白人の大国に初めて勝ったということで、他のアジア諸国に多大な希望をもたらした。第二次世界大戦では敗戦国となったが、一面の焼け野原からわずか四〇余年後の一九八七年、一人当たり国民総生産で世界第一位を達成するという快挙を成し遂げている。

何より、日本は世界有数の災害国であり、有史以来何度も壊滅的被害を受けてきたが、そのたびに「ともいき」精神を発揮し、一人ひとりが自分のできることに努め、互いに力を合わせることで見事に復興を果たしてきた。これほど「ともいき」に生きてきた民族は世界を見渡しても希有だろう。

アメリカの国際政治学者サミュエル・ハンチントンは、世界を七大文明に分け、西欧文明、中華文明、ヒンドゥー文明、イスラム文明、東方正教会文明、ラテンアメリカ文明、日本文明を挙げている。そして、日本文明は「ただ一国で一文明」をつくり上げたものだとしている。

日本にこうした力が与えられたのは、日本の伝統であるともいき主義を世界に広げ、世界を良い方向へ変革する使命があるからだと、私は思っている。

## ■奪い合いから分かち合いへ

資本主義は欲得を動機として発展してきたが、昨今は心や魂、愛を動機として判断・行動する人が増えつつある。二一世紀は間違いなく、物欲よりも精神的な欲求が重視される社会へと変容していくだろう。

資本主義は、利潤追求と拡大再生産を目的としている。地球から有限な資源を奪い、大量生産・大量消費・大量廃棄を繰り返すことで経済成長と利潤を追求する。しかも、社会全体への分配ではなく、資本家や株主といった一部の人々の利潤を最大目的としてきたのが従来の経済原理だった。資源に対する考え方もこれに根ざしている。

人類の歴史をみれば、土地や水といった資源の奪い合いは文明が勃興する以前から繰り返されてきたが、それは資源を枯渇させるほどのものではなかった。現代のそれは、かつてとは様相が異なる。石油や石炭、天然ガス、レアアース、レアメタルなどの資源は、各国や各企業が我先にと奪い合い、いざ権益を手にすると、無くなるまで掘り尽くす。そうした過程で戦争や紛争もたびたび起きてきた。ともいき主義は、これとは一線を画している。全員が幸福に、豊かになること、分かち合い（分配）を目指していくことなのだ。

資本主義は「資源は有限」であり、「その権利を得たものが勝者」という考え方に根ざしていたために、取り合いや奪い合いの構図が生まれてきた。だが、そもそも地球のあらゆる資源は固有の誰かのものではなく、地球上に暮らす全員のものである。

ともいき主義における資源は、ある意味、無限である。もちろん、天然資源には限りがある。だが、資源になりうるものは、オーナーシップに目覚めた人間の創造力でいくらでも生み出せる。仮に枯渇しかけているものがあれば、衆知を集めて技術革新を起こし、資源を半永久的に循環させる方法や、環境に影響を与えない形で代替物になるものを新たに創り出していけば、資源にしがみついて枯渇させる必要はなくなる。それが、ともいき主義で大事にしたい考え方である。

私は今から二〇年ほど前、サトウキビからエタノール・アルコールを製造できることを学んだ。自らブラジルに行き、政府やガス石油メーカーと協議して精製技術を研究した。森林を伐採せず、今あるブラジルの耕作面積の一〇分の一をサトウキビ畑として活用するだけで、日本のガソリン消費量が全て賄えるだけのエタノールが生産できるという研究成果にたどり着いた。石油がなくても、アルコールをエネルギー源とすることができるわけだ。

実は、石油も人工的につくることが可能である。多くの人は、石油は何億年もかけてできるもの、全て採掘したら無くなるものと思っている。ところが、藻類等植物の死骸が混ざったヘドロなどを高圧高温下に置くと、三〇分から数時間程度で石油をつくることができる。実際、オーストラリアなどでは近年、そのための石油生成プラントがつくられた。日本でも、藻類と下水資源から原油をつくる研究が進められている（藻類産業創成コンソーシアム理事長・渡邉信氏）。下水処理施設と藻類培養を一体化して、原油生産に取り組むとコストが安く済む。その技術を推し進めれば、日本の年間輸入量に相当する一億三六〇〇万トンの原油も生産可能だという。

様々ある革新的な技術を自らの目で確認してきた私には、日本をはじめ地球上の創造力を結集していけば、資源枯渇問題は必ず解決できるという確信がある。

## ■国主とオーナーシップ（主意識）

ともいき主義を実践していく上で大切なことは、この社会、この国、地球の資源は他の誰のものでもなく、私たち一人ひとりのものであるというオーナーシップ（主《あるじ》意識）を一人ひとりが心に刻むことだ。

宇宙も自然も、地球も人間社会も、多くの資源と可能性に満ちている。資本主義はそれを奪い合ってきたが、もともとは地球に生きる人間を含めた全生物の共有物である。私たち一人ひとりが所有者であり、当事者なのだ。人間がその代表として管理を任されているわけだが、だからこそ、私たちは生きていく上で、また経済活動等を行う上でオーナーシップの意識を強く持つ必要がある。それが地球に生きる私たち人間の使命であり、責任であり、役割なのだ。

このことを踏まえ、私は自分たちを日本の「国民」と言うのではなく、「国主《こくしゅ》」という言葉を使って表現することを推奨している。なぜなら、「民」という漢字は、もともと奴隷や隷属を表す言葉だったからだ（目を針でさすさまを描いたもので、目を針で突いて見えなくした奴隷を表す）。

その意味からすれば、「国民」という言葉では、与えられた環境で生きていくという受け身の意識になり、より良い環境に変えていこうという能動的な意識は働かない。また、与えられた環境が自分の意にそぐわないものであれば、他責に寄りかかってしまうだろう。

日本は憲法上「主権在民」としており、形の上では人々にオーナーシップがある。しかし実際には、人々にその意識が薄いことが問題なのである。選挙のたびに話題となる投票率の低さは、その最たるものだろう。「国主」であれば、一人ひとりがオーナーシップを発揮しながら国造りをしていくという意識、より良く変えていこうという責任感や誇りが芽生えていくだろう。そして、他者を尊重しながらも、それに依存することなく、常に自主自立の精神で物事を考え、能動的に行動するようになる。

ともいき主義を人々に浸透させていく上で、私は「国主」という言葉を使って皆の意識を高め、この国の所有者、当事者は私たち自身であることを今一度思い出してほしいと願っている。私たちは生まれながらにして、この国のオーナーであり、さらには地球や宇宙においても顕在的にも潜在的にも存在する資源のオーナーなのだ。国主であるなら、積極的にそれらを善良に管理し、発展させていこうとするだろう。

人間は誰しも、「この世に生まれた以上、少しでもこの世を良くして死にたい」という欲求があるものだ。もちろん、必ずそれができるとは限らない。しかし少なくとも、自分の手の届く範囲では成し遂げていきたいと思うはずだ。私が行っている全ての事業も、その意識を持って推し進めている。

各自がこうした意識を持って様々な「為」に生き、働き、この国と世界に関わっていくなら、それが「国主」というオーナーシップの意識にほかならない。

## ■真善美が実現した社会

オーナーシップを発揮する上では、「人としての正しい判断」が重要になる。人間の最高の状態として「真善美《しんぜんび》」ということが言われる。古代ギリシャの大哲学者プラトンの言葉だが、「ともいき」社会とは、この真善美が実現した世界である。

「真」は永遠不変のものにある、と言っていいだろう。たとえば、古代から人々に読み継がれてきた書物には、人間にとっての「真」が記述されている。世紀を超えて続く伝統文化は、人々の生活に根ざした「真」を内包している。「ともいき」も、そこに「真」があるからこそ、古今東西、万人が理想としてきた社会の姿となっている。

一方「善」は、時と場合によって様々に形を変えるものだ。たとえば、内燃機関（ガソリン等を燃焼させて動かす原動機）は、発明当初は夢の機械、善なる機械だった。ところが、排気ガスや環境汚染等が問題になった今日では、もはや善ではなくなり、避けられるようになった。「ともいき」社会では、時代の変化に合わせて善いものがつくられ、高質再生産によってその質が高められていく。

「美」とは、真と善が調和して心地よい姿となり、感動となり、魂（霊《たま》しい）が喜ぶことである。「後光がさす」「オーラがある」といった言葉があるが、真と善を有するものは時代を超えて受け継がれ、後光やオーラをまとった美しいものとなる。人間が本来追い求めてきた「ともいき」社会が実現されていく時、それは真善美が満ちた社会となるのだ。

その「ともいき」社会の根底にあるのは、愛である。愛の別名は「ともいき」である。「ともいき」社会は、仏教の「慈悲」、神道の「はらから（同胞）」、キリスト教の「愛」、ユダヤ教の「慈しみ」が実現している世界と言ってもいい。天の道、宇宙本源の真理に基づく世界である。

私たちは人間にすぎないから、その完全な実現は難しいかもしれない。しかし、知性と感情と意志（知情意）の全てを持って理想を追い求めていく時、私たちは一歩ずつ真善美や愛に基づく「ともいき」社会に近づいていけるだろう。人間に欠点があるから理想を実現できないのではない。たとえ欠点があっても、真善美と愛を持ち続けるなら、理想は実現できるのだ。

幕末から明治を生きた三菱財閥の祖・岩崎弥太郎は、決して完璧な人ではなかったが、歴史に名を残す事業を成し遂げた人だ。彼はボーナス（賞与）を日本で初めて出した人でもある。彼は富の分配を心がけた「ともいき」の人だった。身近なところでは「年下や後輩におごること」を家訓とし、分配を心がけた。また、「天の道にそむかない」「他人の中傷で心を動かさない」「貧しい時のことを忘れるな」といった家訓も残し、これらを心に留めて歩むことを商売成功の道としていた。当時は合法とされた妾《めかけ》を多く持つなどの面もあったというが、たとえそうした面があったとしても、真善美や愛を目指して正しく歩もうとする時、少なからず天が味方して、人生を祝福してくださるのである。

私たちは恵まれない環境や経済的な困窮に陥った時、その状況を憂えて希望を失うことがある。そうした時、オーナーシップの意識が根づいていれば、「今は苦しい状況だが、本来は国のオーナーであり、地球資源の主《あるじ》である」というように自分自身や周りを鼓舞できるものである。

日本の国富は四〇〇〇兆円程度あると言われる。日本の人口に照らせば、私たちは生まれながらにして、一人当たり三〇〇〇万円規模の資産を保有していることになる。必ずしも金銭の多寡が幸せを決めるわけではないが、その自覚を持つだけでも勇気がわいてくるだろう。さらに、その延長に地球や宇宙のオーナーであるという自覚が芽生えれば、自分は計り知れないほどの資産を持つという誇り、自信、希望が生じてくる。そこには劣等意識や差別意識は存在しない。誰もが等しくオーナーであり、パートナーであり、対等だからである。

経済活動はとどのつまり、資源を採集し、人間の創造力や主管（主の愛と責任で管理すること）力をもって財（商品）とサービスを生み出し、分配することにほかならない。そして、地球資源のオーナーとして、誰もが機会（チャンス）を平等に有している。真善美と愛に基づく「ともいき」が実践されれば、誰もが資源を有効に活用し、それによって豊かな社会に貢献し、その恩恵を享受できるようになる。

## ■本当の自己実現

昨今、人生や生き方に関する話題の中で「自己実現」という言葉がよく使われている。しかし、自分の主張を無理やり押し通すような自分本位の自己実現を求めたところで、大きな成功や幸福感、充足感は決して望めないだろう。これは個人の人生においても、企業においても、国造りにおいても同様である。

互いに他者の為に生きる、他者と共に生きるというともいき主義を実践する時、それは巡り巡って、自分のもとに祝福として返ってくる。それによって本当の自己実現が図られる。自己実現は、他者の存在があってこそなされるものなのだ。

「情けは人の為ならず」ということわざがある。今日ではこれを誤解し、「情けをかけると甘やかすだけだから、情けをかけてはいけない」という否定的な意味に捉えている人が多いという。しかし、本来の意味は「困った人に情けをかけると、それは単にその人の為になるだけでなく、巡り巡って自分にも良い報いとして返ってくる」というものだ。つまり、これは利他主義の言葉である。平成二二年度の文化庁の国語調査によれば、そのように本来の意味を理解していた日本人は四五％にすぎなかったという。ともいき主義は、巡り巡って真の自己実現をもたらし、企業、国造りに成功をもたらす。

これまでの資本主義を前提とした社会では、企業は事業規模の拡大や利益向上を動機として事業を行い、そこで働く多くの人たちは収入や昇進、社会的地位といった外的な動機で行動していた。

しかし、近年は自分の幸せや充足感といった内的な動機によって行動する人が増えている。特に日本では、繰り返される大規模な災害や今回のコロナ禍をきっかけに、自分の生き方を見つめ直す人が増えていることも理由として考えられるだろう。

外的な動機や物質的欲求だけで動く人もいるかもしれないが、それはそれでいい。しかし、人間は基本的に、内的な動機をもたらす大義名分、別言すれば働くための高尚な目的が必要なのである。「こんなに素晴らしいことのために私は働いている」という気持ちがあるだけで、思考や行動は大きく変わる。「ともいき」こそが、その最たるものとなる。

人は愛し愛され共に生きるという「ともいき」の中でのみ真に幸福となるよう、つくられているからだ。「ともいき」は、人を突き動かす最大の動機となり、人と社会を前に進める原動力となるのだ。

それは私にとっても大きな原動力となってきた。私が「ともいき」という内的な動機に目覚めたのは、一四歳の時に起きたある出来事がきっかけだった。

## ■「ともいき」に目覚めた原体験

私は一四歳のある日、「死のう」と決意した。

私は五歳の頃から「この世界はなぜ存在するのか？」など、世界の目的や自分の生きる意味といった根源的な問いをひたすら考え続けているような、少し風変わりな子どもだった。テレビや新聞、雑誌を通して社会を眺め、一国の大統領や大富豪の暮らしぶりも垣間みていたが、地位や名誉、金銭的な成功には全く価値が見いだせなかった。私自身、将来の人生において成功するという自信と思いは抱いていたが、「地位や名誉、金銭的な成功に一体何の意味がある？」と考え、それらの外側にある「生きる価値」についての問いを常に抱いていたのだ。

私が少年期を過ごした一九七〇年代の日本は、経済成長を謳歌していた一方、その裏側では公害問題が全国で深刻化していた。世界に目を向ければ、二度にわたるオイルショックで経済が混乱し、東南アジアや中東、アフリカでは東西冷戦の代理戦争が泥沼化していた。日本に限らず、私利私欲や党利党略にはしる権力者によって政治は迷走を続け、そのたびに多くの人が犠牲となり、大切に守られてきた歴史や文化が失われていった。

物質的な豊かさが満たされていく一方で、日本や世界を取り巻く問題は一向に解決する兆しがみえないことに疑問を抱き、日々のニュースを見ながら、私はこんなことを真剣に考えるようになっていた。

「誰もが健康に暮らし、争い合うことなく、飢えることなく、資源を奪い合うこともない平和な世界をつくらなければならない」

振り返れば、それがともいき主義に目覚めた私の原点だった。しかし、一〇代だった私に世界を変える力はなかった。その事実に打ちのめされ、ますます自分を追い詰めるようになった私は、「生きる価値が見いだせないのなら、自分などいなくてもいいのでは」と考えるようになり、とうとうある日、死を決意した。最終的には自分自身を死に追いやるまで追い詰めたのである。

ところがその間際、私の心にこんな言葉がわき上がってきた。

「自分ではなく、誰かの為に生きればいいではないか。どうせ死ぬのなら、人の為に全力で生きて、生き抜いて、その後に死んでも遅くない。今、自分は死んだことにして、これからの人生は、人の為に生きよう」

それは生きる動機の転換が起こった瞬間であり、私が宇宙の意志は「ともいき」にあることを初めて体感した瞬間だった。以来、この思いは私を突き動かす最大の動機となり、思考や行動における揺るがぬ軸となった。

ビジネスの世界で生きていれば、当然ながら困難や失敗に数多く直面する。こちらに不手際がなくとも、取引先に陥れられたり、社員に裏切られたりすることさえあった。進退窮《きわ》まり、「もうやめようか」と思ったこともある。だが、どれほど苦しい状況にあっても、私はあの時の決意を思い起こせば、再び奮い立つことができた。「ともいき」でこそ、本当の自己実現が図られることを知っていたからだ。

「ともいき」は人生を切り拓く原動力となる。私は一四歳のあの日から今に至るまで、毎日のようにそれを強く実感している。

## ■マズローの欲求段階説と「為に生きる」

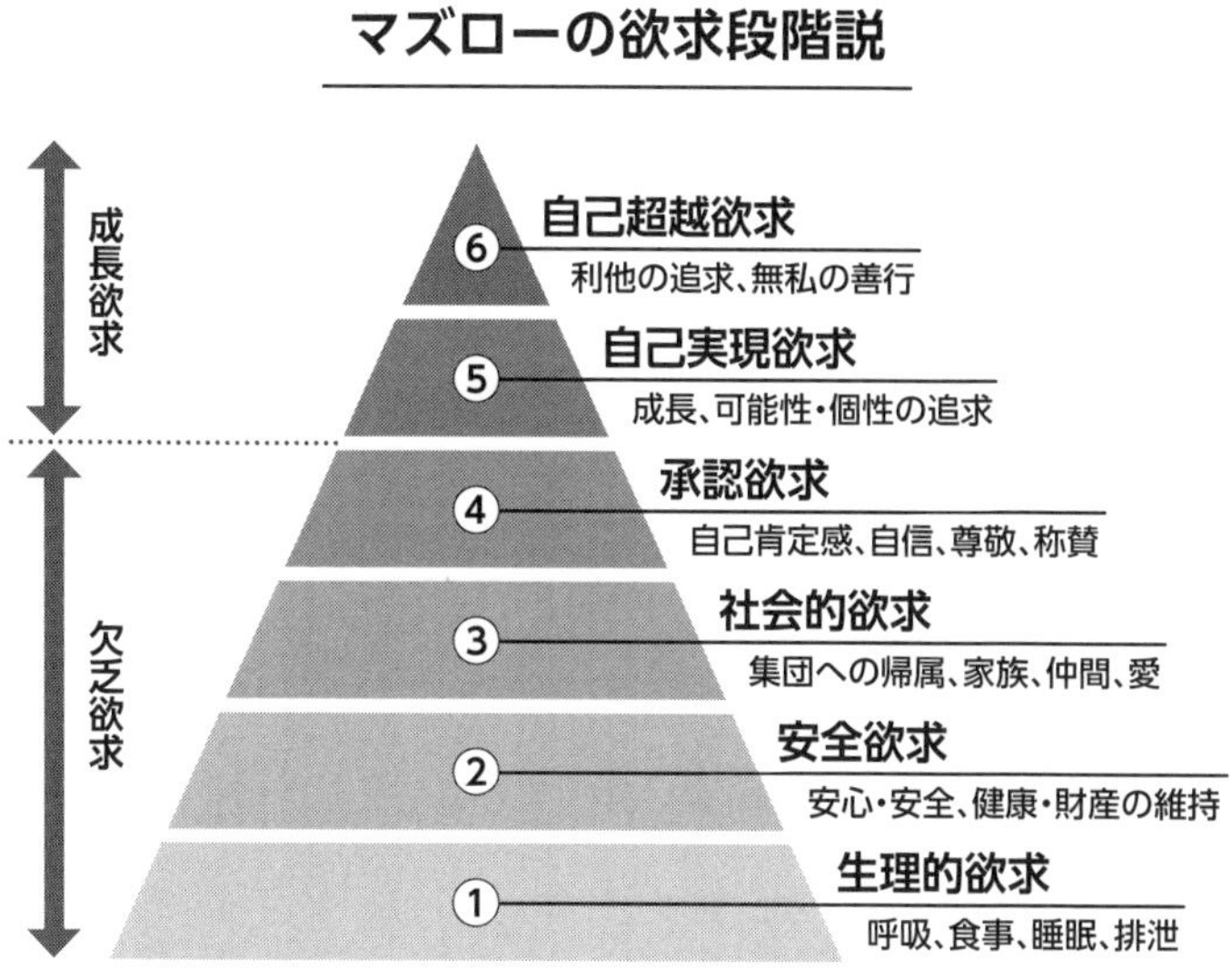


「共に生きる」「皆の為に生きる」という動機は、何らかの特別な体験でしかもたらされない、というものではない。それは誰もが最初から心の中に有しているのである。

アメリカの心理学者アブラハム・マズローは、人間の欲求について上図のように説明している。マズローによれば、人間は下位の欲求が満たされると、その上位にある欲求を望むようになるという。あなたは今、どの段階にいるだろうか。

マズローは、第一～第四段階を「欠乏欲求」（満たされない、足りないという不足感や苦しみを感じるもの）と呼び、第五段階の自己実現欲求は「成長欲求」（自分を幸せにしてくれるものだが、たとえ満たされなくても苦しみは生じないもの）と分類していた。これをみると、下の段階では衣食住など「自分のこと」に限定されていた欲求が、段階が上がるにつれて集団や社会の中での自己欲求に変わり、他者という視点が加わることがわかる。

マズローはこの概念を構築した当初、第五段階の「自己実現欲求」までを想定していたという。ところが、後年になって思索を深めていくうちに、五つの段階とは全く別の次元に「第六段階」があることに気づいた。それが「自己超越欲求」である。

第五段階でも「ともいき」の実践は可能かもしれないが、ここではまだ「（自分が満たされるために）皆の間で活躍したい」といった利己的な思いが垣間みえる。ところが第六段階になると利己的な思いは霧散し、純粋な無私の下で利他的な行動を求めるようになる。

名誉のためでも自己満足のためでもない。見返りも求めない。困っている人がいるから、問題を抱えた社会や世界があるから、何とか救いと解決を与えたいという純粋な衝動によって行動するのである。これはまさに「ともいき」の極致である。

敵味方の別なく看病したナイチンゲール。貧しい人のために尽くしたマザー・テレサ。「貧民街の聖者」と言われた賀川豊彦。多くのユダヤ人を救った外交官・杉原千畝《ちうね》……。他にも「ともいき」を実践した有名無名の人々はたくさんいる。名誉や金銭、自己満足を得るためではなく、むしろそれらを失うかもしれない厳しい状況にあっても、愛に基づく

「ともいき」の最高の姿を示したのだ。それほどにも愛は、人間を強く突き動かすものになる。

資本主義や共産主義の社会にも、「ともいき」を実践する人はいただろう。しかし、ともいき主義が浸透した社会では、規模の大小はあれども、「誰もが等しく」愛に基づく「ともいき」の実践に努めるようになる。どの社会が心身共に幸福に暮らせるのか、その答えは議論を俟《ま》たないだろう。

## ■ともいき主義と「共通善」

自己超越的な無私の行為、無垢《むく》の愛に基づく実践は素晴らしいことである。だが、時には多くの努力や犠牲を伴うこともある。並々ならぬ勇気や覚悟、大胆さが必要になることもある。一時的には可能でも、長く続けるのは難しいこともある。だからこそ、個人単位の自己犠牲的な「ともいき」に依存するのではなく、社会を包括するあらゆるシステムにともいき主義を組み込み、持続可能な形にしていくことが望ましい。

経済においてその重要性を説いたのが、ノーベル賞を受賞したフランスの経済学者ジャン・ティロールである。ティロールは「共通善に尽くし、世界をより良くするための経済学」について次のように書いている。

「経済学は、私的所有や自己利益の追求を後押しするものではないし、ましてや国家を利用して自分たちの価値観を押し付けようとするものでもない。自分たちの利益を優先させようとする人々に資するものでもない。経済学は、市場が全てを決めることにも、政府が全てを決めることにも与《くみ》しない。

経済学は共通善に尽くし、世界をより良くすることを目指す。この目的を達成するために、全体の利益を高めるような制度や政策を示すことが、経済学の仕事となる。経済学は社会全体の幸福を目指す中で、個人の幸福と全体の幸福の両方に配慮し、個人の幸福が全体の幸福と両立する状況、両立しない状況を分析する」

彼が言う「共通善に尽くし、世界をより良くすることを目指す経済学」とは、従来型の資本主義ではなく、「ともいき」経済を指している。ティロールの説に共鳴する東京大学の野原慎司准教授も、これからの世界に求められるものとして「共通善」の重要性を説いている。それは個々人が抱いている理想の社会をすり合わせ、どのような社会にしていくのかについて、皆で合意形成することで導き出されるものだとしている。

フランスのレンヌ第一大学の経済学者・マルク・アンベール名誉教授は、その著書『共生主義宣言』（コモンズ）の中で、「資本主義の次は共生主義《きょうせい》だ」と明確に述べている。

「共生主義」は、オーストリアの哲学者イヴァン・イリイチが示した「Conviviality（自立共生）」という概念から発展したものだ。イリイチによれば、GNP（国民総生産）ではなく、コミュニティとエコロジー（環境保全）を大切にした社会と経済こそが、これからの世界のあるべき姿だという。それは「他者とつながり、自然を大切にし、不正と闘い、異論も尊重して、市場経済に依存せず暮らす」生き方である。

また、「共生主義の世界では、人々は互いにいたわり合い、自然への配慮を忘れずに暮らすようになる。と言って、いさかいを真っ向から否定するわけではない。共生主義は、食い違いを活力に変え、創造に結びつけていくのだ」とも語っている。

実際にそのような生き方が個人や社会に広がり、政治、経済、教育、文化、科学の隅々に落とし込まれていった時、この世界は多くの人々が幸福感を享受できる場所となる、としている。

## ■晩年のマルクスが抱いた「ともいき」の世界

イリイチやアンベールが示した「共生主義」は、抑圧や言論統制、独裁、人権侵害その他で知られる共産主義とは全くの対極にある。

共産主義は本来、私有財産を否定し、生産手段と生産物などを国有財産として、貧富の格差のない社会をつくることを目指したものだった。しかし、歴史が証明する通り、共産革命を成し遂げたソビエト連邦でも中国でもうまく機能せず、資本主義経済を取り入れつつ、一方では国民を抑圧する国家体制を築き、非人間的な社会を生み出した。

ただし、社会主義や共産主義の理論的基礎をつくったユダヤ人思想家カール・マルクスはその晩年、「共産」というより「共生」主義に近い概念を唱えていたという。

ベストセラーとなった大阪市立大学大学院・斎藤幸平准教授の著書『人新世の「資本論」』（集英社）では、ポスト資本主義を構想するための重要なカギとして、晩年のマルクスの考えを紹介している。

斎藤准教授は、気候変動、食糧危機、格差社会など、現代の人類が抱えている問題を「資本主義」という根本原因を温存したままで解決することはできないと考える一方で、資本主義を否定して人類と文明は生き残れるのかという疑問を抱き、晩年のマルクスの考えにたどり着いたという。

社会主義・共産主義の提唱者として認知されてきたマルクスだが、その再解釈のキーワードは「コモン（Common）」、あるいは「共」と呼ばれる概念である。これらは「社会的に人々に共有され、管理されるべき富」を指す。そして、労働者たちの「自発的な相互扶助

（Association）」、つまり「ともいき」がコモンを実現するとマルクスは考えていたという。

また、マルクスは人々が資本だけでなく、地球をも「コモン」として管理する社会を構想していた。これは、ともいき主義の大前提となる「地球のオーナーシップは私たち一人ひとりにある」という考えと共通している。

そして、マルクスが目指したのは「平等で持続可能な」経済であり、それは人々の相互扶助（ともいき）によって実現すると考えられた。つまり、晩年のマルクスはともいき主義に近しい思想を抱いていたのだ。

もともとマルクスの主張は、社会全体で資本や富を共有・分配することで、誰もが平等・公平に豊かさや幸福を享受できるというものだった。しかし、時々の支配者によって都合良く改変されて今日に至っているため、マルクスに対しては様々な誤解が生じている。

生涯を懸けて理想的な社会のあり方を追求したマルクス。そんな彼が晩年に思い至ったのが、ともいき主義と近しい社会の姿だった。マルクスと私の考えは完全に一致するわけではないが、彼の考えからは多くの示唆を得ることができた。

資本主義を通じてひたすら成長を続け、自らの欲求を満たしてきた私たちは今、少しずつ「ともいき」の方向へと歩み始めている。マズローの説に従えば、人間の欲求が段階的に満たされていけば、やがて自己を超越した思考に至ることになる。そう考えれば、物質的に満たされた現代の人々が「ともいき」を欲しているのは、必然と言えるのではないだろうか。

## ■国造りと「富」を築き上げる力

コモンとは「社会的に人々に共有され、管理されるべき富」であると、マルクスは言っている。私は、「富」とは単に金銭や物質的なものに限らず、人に喜びや幸せを与えてくれる無形のものなど全てが当てはまると考えている。この「富」を築き上げる力という意味では、ユダヤ人が一つの参考になると思う。

ユダヤ人は、もともと古代のイスラエル人から来た人々である。イスラエル人は、飢饉を避けてエジプトに避難してきたが、やがてヨセフを知らないパロ（ファラオ、王）の下で彼らは奴隷にされ、苦役は約四〇〇年も続いた。しかし、今から約三四〇〇年前、古代イスラエル人らは指導者モーセに率いられてエジプトからの大脱出、いわゆる「出エジプト」を敢行した。

聖書の記録によれば、当時のイスラエル人の人口は二〇歳以上の男子だけで約六〇万人もいたという。女性や子どもを含めれば二〇〇万人以上はいただろう。その大集団がモーセの指導の下、エジプトから脱出した。

モーセはその出エジプトの後、カナンの地（今日のイスラエル）に入っていこうとするイスラエル人を前にして、こう語っている。

「主《しゅ》（神）があなたに富を築き上げる力を与えられる」（申命記八章一八節）

奴隷状態から解放されたばかりの無一文のイスラエル人に、モーセはそう語ったのだ。その後、このイスラエル人から、いわゆるユダヤ人が生まれた。

今日、ユダヤ人は世界人口のわずか〇・二％ほどしかいない。ところが、世界の大富豪の約三五％をユダヤ人が占めている。これは彼らがモーセの語った「富を築き上げる力」を実践したからであろう。

また、前述したように、「富」は金銭的なものや物質的なものに限らない。

たとえば、ノーベル賞受賞者はユダヤ人が圧倒的に多い。同賞は、人類に最大の貢献をもたらした人物に授与されるものだ。新しい理論、発見や発明、文学、平和活動などもまた、多くの人々に平和や幸福といった「富」をもたらすものだ。人類に貢献する「富を築き上げる力」においても、ユダヤ人は圧倒的な力を発揮している。

ユダヤ人大富豪として有名なロスチャイルド一族、その初代マイアー・アムシェル・ロスチャイルドは、毎週ユダヤ教のラビ（導師）を家に呼び、トーラー（聖書）の話を聞くことを楽しみにしていた。つまり、心と信仰の持ち方次第で富はついてくる。金銭的富でも、精神的富でも同じである。

ともいき主義による富の創出と分配において、私たちもこの考え方を大切にしたいと思う。というのは、先の「主（神）があなたに富を築き上げる力を与えられる」というモーセの言葉は、単にイスラエル人に対して言われただけでなく、自分を超えた宇宙的存在、天の力を信じる全ての人に対しても言われた言葉だからだ。

ともいき主義が宇宙の根源的真理であり、宇宙的存在＝天の力から来るものなら、それに立つ者には誰でも「富を築き上げる力」が与えられる。

さらに、「富を築き上げる力」は、実はともいき主義に深く結びついている。というのは、モーセは「富を築き上げる力」について語った後、こう述べているからだ。

「主の前には、あなたがた（イスラエル人）も、在留異国人（外国人）も同じである」（民数記一五章一五節）

在留異国人とは、出エジプトをしたイスラエル人と共にいた外国人のことである。出エジプトは、「多くの外国人も入り混じってきた」（出エジプト記一二章三八節）からだ。エジプトでは他民族もたくさん奴隷となっていた。彼らが「私たちも連れていってほしい」と言うと、イスラエル人は快く彼らを受け入れ、共にエジプトを後にしたのである。モーセは彼ら外国人を受け入れ、生まれながらのイスラエル人も、外国人も、皆「主の前には同じである」と語った。

モーセはまた、イスラエル人に「あなた自身のように在留異国人を愛しなさい」（レビ記一九章三四節）とも語っている。これは自分と在留異国人を差別してはならないという、徹底したともいき主義の教えだ。単に異国人に「ここにいてもいい」と言うだけではなく、「彼らを愛せよ」、しかも「自分と同じように愛せよ」とまで言っている。これは世界初の人種平等の教え、ともいき主義の教えだ。ユダヤ人の優秀さのベースには、この「ともいき」があったと言ってもいいだろう。

だからこそ、彼ら異国人もモーセの律法を守り行い、イスラエル人と共に生きる者は帰化し、イスラエル人として生きることができた。イスラエル人は「ともいき」集団だったのである。

同じく、日本人も決して単一民族ではなく、「ともいき」集団として成長してきた民族である。古代において千島列島や朝鮮半島、東南アジア方面（今日では中東アジア方面からの渡来も解明されつつある）などから様々な渡来人たちが東の果てにやってきて、日本列島で混ざり合い、それぞれの「富」を持ち寄ることで優れた文化や技術をつくり出し、一つの民族のように協力しながら発展してきたのである。

日本人は、いわば遺伝子レベルで「ともいき」とは何かを理解し、無意識ながらもそれを文化や生活に落とし込み、実践してきた。明治期に訪日外国人が驚いたのは、当時の諸外国にはなかった「ともいき」社会の姿をそこに見たからだろう。

ともいき主義において大切なのは、宇宙の根源的真理からくる「富を築き上げる力」に目覚め、それを発揮し、自己と他者の違いを乗り越えて共に「富」を築き、分かち合っていくことなのである。

## ■「ともいき」に生きた大富豪

実は、日本にも「ともいき」を通じて莫大な富を築き、その適切な分配に尽くした大富豪がいた。その一人、安田財閥の祖である安田善次郎は、国家予算が一六億円だった明治期に、一代で二億円超の個人資産を築いた人である。

安田は銀行や保険を中心に金融業で財をなした人だが、当時、彼は世間から「ケチ」と言われていた。だが、そのような誤解が生じたのは、彼が無駄なことには一切投資せず、「いかにお金を社会に生かすか」を人知れず追求した人だったからだ。

安田は「陰徳」の人であり、「決して私の名は出さぬように」と、匿名を条件に慈善事業や寄付を行っていた。東京大学のシンボルである安田講堂も、匿名で行われた安田の寄付によって建てられたものだが、彼の没後、その偉績を偲ぶ人々から安田講堂の名で呼ばれるようになった。

こうした慈善事業や寄付は、一貫して公益を重視した判断の下でなされていた。莫大な資産の使い道として、公益に寄与しないものには全く興味を示さなかった一方、将来の社会の為、日本の為になる活動や事業には資金提供を惜しまなかった。莫大な資産を築いても、自らは倹約に励み、「ともいき」に通じる陰徳に努めた彼だからこそ、「富を築き上げる力」が与えられたのだ。

安田が「ともいき」精神を持った人物であったことを表すエピソードは他にもある。明治時代初期、新政府の財政基盤はきわめて脆弱だった。そこで新政府は利付国債（利子付きの太政官札《だじょうかんさつ》、金札《きんさつ》）を発行したが、新政府に対する信用が確立されていなかった当時は売れ残り、額面割れして紙くずになる恐れがあったため、大手両替商は国債の引き受けに関心を示さなかった。この窮状を見かねて新政府に手を貸したのが、安田だった。

同業者から冷笑されながらも、彼は国債を山のように引き受けた。周囲の予想通り、すぐに額面割れを起こして半値まで暴落し、安田も破産の危機に陥ったが、彼に迷いはなかった。新生・日本の厳しい船出を全力で支えれば、近いうちに必ず新政府は国民のために正しく機能する。安田はそう信じて国債を買い続けた。

やがて、新政府の運営が軌道に乗り、額面以下での流通を禁止する金札兌換打歩《だかんうちぶ》禁止令などが発令されると、国債はほぼ額面通りで通用するようになり、安田は莫大な利益を手にすることとなった。安田はその一年間で資産を三倍に増やしたとも言われる。さらに新政府の危機を救ったことで絶大な信頼を勝ち得て、多くの仕事が舞い込むこととなった。

「ともいき」に生きれば、おのずと天が味方してくれるのだ。

安田と同時代に生きたアメリカの大富豪アンドリュー・カーネギーも「ともいき」に生きた人だった。鉄鋼業で巨万の富を築き、「鉄鋼王」と呼ばれた人物である。

スコットランドの貧困家庭に生まれたカーネギーは、家族とアメリカに移住し、家計を助けるべく様々な職を経験しながら青年期を送った。優れた仕事ぶりから鉄道会社に引き抜かれた彼は、当時、木造ばかりだった鉄道橋に着目した。やがて鉄製の橋の時代が来ると考え、三〇歳にして鉄橋会社を創業した彼は大成功を収め、そこから鉄鋼業に進出し、巨万の富を築いていった。

しかし彼は、富におぼれる人ではなかった。

「富を持ったまま死ぬのは恥である」

後年、こう語っていたカーネギーは、生涯を通じて資産の大半を寄付や慈善事業に投じた。自らの経験から、貧しくも懸命に努力する人々を支え、平和の礎となる文化や教育、技術の発展に貢献することを第一に考え、博物館や美術館、病院、科学研究所や巨大天体望遠鏡など、数え切れないほどの事業に資金を投じた。特に、人間にとって「知」が最も大切だと考えていた彼は、世界中で二〇〇〇超の図書館建設を支援している。

カーネギーは「富がいかに人々に生かされていくか、社会に還元されていくか、それを管理し、導き、見守るのは富豪の責任である」と語っている。安田と同様、彼の脳裏にあったのも「ともいき」だった。このように、「ともいき」に生きようとする人には、その手段として「富を築き上げる力」が天から与えられるのだ。

## 最大多数者の最大幸福

沖縄には昔から「模合《もあい》」と呼ばれる相互扶助システムがあり、今も形を変えながら人々の暮らしに息づいている。文献が少ないためルーツは定かではないそうだが、農村における共同生産や共同分配といった困窮時の助け合いから生まれたようで、現代では「庶民金融」に形を変えている。

たとえば毎月、地域の仲間がお金を出し合って資金を積み立て、半年ないしは一年に一回、「親」が回ってきたらそのお金を総取りする。毎月の集金時に飲み会を行うのが一般的だという。先に、沖縄は一〇〇歳以上の人々が多い「ブルーゾーン」と呼ばれる世界五大地域の一つだと述べたが、健康と長寿の秘訣はこうした地域の強いつながり、「ともいき」にあると言われている。同様の仕組みは全国にあり、鎌倉時代や江戸時代頃に盛んになった「無尽《むじん》」、あるいは「頼母子講《たのもしこう》」にもみることができる。

参加した人々がお金を出し合い、資金を積み立て、決められた条件に則って一回だけ必要なお金を受け取れるという仕組みは、貧しく収入の安定しない庶民の相互扶助システムとして積立貯金や保険のような役目を果たしていた。江戸時代以降はこれを専門に扱う事業者も現れ、多くは明治以降の金融制度改革の中で無尽会社、相互銀行へと変遷していった。このように、日本人は昔から人間関係でも金銭面でも「ともいき」の智恵を発揮してきたのである。

こうした小さな「ともいき」システムも大切だが、より広く社会に平和と幸福をもたらすためには、社会全体に行き渡る「ともいき」システムを、現代にふさわしい形で実現すべきである。

現代は、資本主義の矛盾と欠点が大きく現れた時代だ。資本主義の普及と共に、大量生産・大量消費・大量廃棄、公害によって環境は汚染され、森林は破壊され、絶滅する動植物は増え、地球は少しずつ破壊されてきた。世界中で排出される温室効果ガスは地球温暖化を進行させ、洪水や干ばつ、極地の氷の融解、山火事などを引き起こし、農地の減少や砂漠化も深刻化している。発展途上の国々では都市の水や空気が汚染され、人々の健康を害しつつある。

私たちは自らの行いによって、かけがえのない生命の星を滅茶苦茶にしつつあるのだ。これからの人類はともいき主義によって、人間だけでなく、環境にもやさしい経済活動を推し進めていかなければならないだろう。

危機感を抱く人々は今日、「経済のグリーン化」を訴えている。これは経済成長と環境保全の両立を図ろうというものである。企業や消費者はもちろん、舵取り役となる国家政策がそれを意識して実践していくことが大切だ。

中国の思想家・老子は「道法自然！　道に迷った時、自然は最たる教育者である」と語っている。自然環境は人間社会を映し出す鏡である。それをみれば、経済を含む現代の社会が良いものか、悪いものかがわかる。自然環境が悪化すれば、社会や経済が乱れ、道徳は退廃し、愛は冷え、子どもたちは笑顔を失い、若者の夢が失われ、老人が苦しむ。そうした雰囲気を、近年の社会から敏感に感じ取っている読者も多いのではないだろうか。

「社会的共通資本」という概念を提唱した日本を代表する経済学者・宇沢弘文東大名誉教

授は次のように述べている。

「国にとって大切なのは、GDPなどといった外的経済規模の大きさではない。また、覇権主義を強めて世界の優位に立ち、他者を従属させることでもない。むしろ、『経世済民』（世の中をよく治めて人々を苦しみから救う）、すなわち『最大多数者の最大幸福の実現』を図ることである」

言い換えれば「ともいき」の実現である。宇沢教授はこうも述べている。

「（真に豊かな社会とは）全ての人がその先天的、後天的社会共通資源と能力を十分に生かし、それぞれが抱いている夢とアスピレーション（上昇志向）が最大限に実現できるような仕事に携わり、私的努力や社会的貢献にふさわしい所得を得て、その所得が同程度の能力や努力をしている者と極端な差がない程度に正しく評価され、分配に報われ、人並みに公平な生活が保障され、万一の病苦や貧苦、災難、老後生活などといった不安に怯えることなく、安全に生きることができ、安定した家庭生活が営め、家族が周囲の人たち、地域社会とも良好な接触と関係を持ち、経済的、物質的な豊かさだけでなく、精神的、文化的な面のバランスもとれた一生を送ることができる国家や、社会のことである」

まさに、それこそが「最大多数者の最大幸福の実現」がなされた「ともいき」社会であろう。その実現に寄与するのが、ともいき主義に基づく政治や経済なのである。

# 第三章
# 「ともいき」の経済

## ■「ともいき度」が高い国ほど幸福度も高い

ともいき主義の国造りとは、各自が夢の実現や人間的な成長を目指し、持てる能力を最大限に発揮することができ、その努力が相応に報われる社会を実現することである。同時に、日々の生活や将来の不安に怯えずに済むだけの、豊かな支え合いのある社会をつくり出すことだ。

その意味では現在、北欧のスウェーデンやフィンランド、ノルウェー、デンマーク、アイスランドなどのいわゆる「高福祉国家」は、生活と将来の不安に怯えずに済むだけの注目すべき支え合い社会に近づいている。

北欧諸国がユニークなのは、潤沢な資源を持たずとも、社会システムによって高福祉社会を実現していることだ。同様の高福祉は、産油国のサウジアラビアなどでも行われているが、これは潤沢な資源を有するからこそ可能なことで、他の国には到底真似できない。

「ゆりかごから墓場まで」の高福祉で知られる北欧諸国は、税金が格段に高い。所得等にかかる税金の割合は、日本では平均四割程度だが、高福祉国家では五~六割程度。しかし、それに見合うだけの福祉が提供されるため、人々に不満はないという。税金という投資のリターンが、目にみえるものとなっているからだ。日本の無尽や頼母子講はもはや必要のない社会制度になっている。

また、選挙の投票率は毎回八〇％前後になるなど、人々のオーナーシップ意識が高いことも特徴だ。学校では子ども同士で議論し、最適解を見つけ出すことが推奨され、学校予算の使途について全校生徒による投票が行われることもあるという。幼い頃から学校や地域の活動に自らの意見が反映される機会をつくり、「この学校を、この地域を、この国を良くしていくのは自分だ」という意識を育んでいる。

政府も、国民の信頼と協力がなければ国が成り立たないことを強く認識しており、様々な政策や税金の使途に関するオープンな情報公開、国民の声を正しく反映する仕組みづくりを通して高い信頼を得ている。政府と国民が協力し合い、国のあり方や方向性を一緒に決めていくという「ともいき」社会が構築されているのだ。

それゆえに彼らの幸福度は高い。国連機関の一つ、持続可能な開発ソリューション・ネットワークが発表した二〇二二年の幸福度ランキングでは、第一位はフィンランド、第二位はデンマーク、第三位はアイスランドとなっており、他の北欧諸国もトップテンに入っている。

これらの国々では妊娠から産後までの医療費もほぼ無料と、子育て世帯への支援も手厚く、地域社会との豊かなつながりもあるなど、安心して産み育てられる環境がある。そのため、出生率は日本よりもはるかに高い。一八歳までの教育費も無料で、年金や介護も国によって負担される。無理に貯金せずとも、納税以外の稼いだお金は安心して家族や趣味のために使い、投資にも回すことができるため、結果として経済もよく回るようになる。

リスクをとって挑戦し、たとえ失敗しても全てを失うわけではなく、再び挑戦の機会が与えられる環境もある。失業者や貧困者への支援がしっかりしているからだ。失敗を恐れずに起業できる環境があるため、起業率は決して低くない。

特にフィンランドでは、一人ひとりの能力を最大限に生かすべく、在宅勤務など多様性やウェルビーイング（物心両面の豊かさ）を重視した働き方が早くから取り入れられてきた。日本でみられるような休日出勤や無報酬残業など考えられないのだ。しっかりと休暇を取った上で、働く時は働く。最新のＩＴを活用したシステムが効率的な働き方を支え、無駄な会議もない。そのため、勤務時間に対する収入の比率、生産性、一人当たりＧＤＰは日本よりも高くなっている。

北欧諸国では一般に貧富の差が少なく、賃金の格差も少ない。別の言い方をすれば、優秀な人材も比較的安く雇える。そのため、北欧諸国では所得税などが高いにもかかわらず、研究開発などの分野では外資からの提携申し込みが多いという。

精神的な余裕があるからか、イノベーションでも優れた能力を発揮している。二〇二二年にフィンランドの企業が生み出した「砂電池」は、夏季に太陽光発電等の電気で大量の砂を温めておき、冬季は砂に蓄えていた熱を電気に変換して暖房等に使うというもので、安価に大量のエネルギーを貯蔵する技術として実用化が始まっている。

このように、北欧諸国は成熟した「ともいき」の国と言えそうだが、もちろん全てがうまくいっているわけではない。

物価はとても高く、かつてソ連に侵略された歴史から徴兵制が設けられている。また、高福祉を維持するためには財源が必要であり、豊かな税収を担保する「経済の安定」が重要になる。不確実性の時代に突入した近年は、経済の不安定化、国民の高齢化、公的債務の増加などにより、高福祉にほころびが出始めた国もあるという。

たとえば、高齢化が進むデンマークでは、政府の支出を抑えるため、無料から自費負担に変更される公的サービスが増加し、他方では直近一〇年間で国営病院の四分の一が閉鎖に追い込まれており、こうしたことが選挙の争点となっている。

改善すべき課題はあるようだが、それでもデンマークは二〇二二年の幸福度ランキングで第二位となっている。人権の受け入れ、情報の自由な流れ、良好なビジネス環境、高いレベルの人的資本、資源の公平な分配、十分に機能する政府などが評価されたもので、

「近隣諸国との良好な関係」の項目では世界第一位を獲得している。

また、市民の生活満足度、ウェルビーイングは世界最高クラス、政治腐敗や汚職も少なく、社会的地位や賃金といったジェンダー・ギャップはほぼなく、貧富の差もわずか。グローバル化とデジタル化が進み、それは家庭と企業活動において多大な利益をもたらしているという。


他の国々はどうだろうか。幸福度世界ランキング第三位のアイスランドをみてみよう。アイスランドの国土は一年の大半が氷に閉ざされ、火山など厳しい自然に囲まれた極寒の国でありながら、国民の四分の三が「人生が満たされている」と感じているという。

大きな特徴は、日本のような「正社員と非正規雇用者」という括りがないことだ。雇用形態という概念も存在せず、フルタイムで働くか、パートタイムで働くかのどちらかしかない。それ以上の給与の違いは、役職や経験によって変わるが、同じ能力、同じ仕事であれば同じ給料がベースとなる。ただし、交渉次第で給与が上がることもある。そして、働く形態にかかわらず有給休暇や手厚い福利厚生、解雇や失業保険の権利についても同じ待遇がある。つまり公平感や平等感が強いのだ。

さらに、女性が働きやすい社会でもある。大統領も首相も女性という時代があり、現在も国会議員の半数は女性で、社会全体で出産後も社会復帰がしやすい環境が整備されている。昔は厳しい自然環境の中、男女共に働かなければ食べていけなかったからだとも言われるが、今も性別にかかわらず活躍しやすい環境が意識的につくられている。

アイスランドも、ともいき度が高いのだ。だから、自然環境は厳しくても、多くの人が「人生が満たされている」と感じている。

次に、幸福度世界ランキング四位のアルプスの国、スイスについてみてみよう。

過去に第一位だった年もあるスイスは、美しい山々や歴史的建造物が連なる街並みを持ち、落ち着いた文化を育んできた国だ。

スイスは医療や年金、介護などの社会保障制度が充実しており、将来に対する人々の不安は非常に低い。健康意識も高く、スポーツが盛んで、平均寿命が長い。収入は高く、豊かな自由度（仕事や生き方における選択の自由）、社会の寛容さ、高い慈善意識、家族との強いつながりがみられ、政治への信頼度も高い。すなわち、全体的にともいき度が高いのだ。他者に対して親切な人が多いということも、ともいき度と幸福度の高さに由来しているのだろう。経済は安定し、通貨スイスフランは金（ゴールド）より堅いと言われるほどである。スイスの最低賃金は日本円換算で平均月三〇万～五〇万円以上となっている。

また、スイスは決して他国の戦争に参加せず、軍事同盟を結ばない「永世中立国」として有名である。平和憲法を持つ日本に似ていると思うかもしれないが、実は大きな違いがある。スイスでは、全てのビルの地下に「核シェルター」があるのだ。

国内に三〇万基以上のシェルター、五〇〇〇基余の公共シェルターがあり、人口約九〇〇万人の一一四％が収容可能だ。一定期間は生きられるだけの酸素、水、食糧も全て備蓄されている。「世界で核戦争が起きたら、生き残れるのはスイス人だけではないか」と言われるほど、想定外の危機に対する備えが充実している。強国に囲まれてきたという歴史的背景もあり、こうした安心感も幸福度の高さにつながっているのだろう。

一方、かつて「幸せな国」と称された南アジアのブータンはどうか。ブータンは発展途上国ながら、二〇一三年には幸福度が世界第八位となった。ところが、二〇一九年には九五位にまで落ち、以降はランキングに登場していない。

二〇一三年には多くの国民が「雨風をしのげる家があり、食べるものがあり、家族がいるから幸せだ」と答えていたが、それは情報鎖国によって他国の情報が入らなかったからだ。情報が流入して他国と比較できるようになった時、「隣の芝生が青くみえる」ようになり、順位が大きく落ち込んでしまったのである。

もっとも、幸福度ランキングは主観的要素が強いとして、あまり意味がないという人もいる。幸福を決める尺度や基準は多様であり、比較はできないということだろう。

幸福度ランキングは、失業率の低さ、生産性の高さ、健康寿命の長さ、病気や老齢になった時の保障、人生選択の自由度など、客観的な要素も全て加味されている。幸福度が常に高い国々は、客観的にみても政治、経済、教育、文化、科学などの面において、高いともいき度を示している国々と考えることができる。

## ■高福祉国家の基盤となる「ともいき」経済

アメリカやカナダ、日本、フランス、ドイツなどは、高福祉とまではいかないが、「福祉国家」に分類されている国々である。日本の医療制度や年金制度も、福祉国家としてのものである。

実は第二次大戦後、西側諸国の多くは北欧のような「高福祉国家」を目指していた。ところが、しばしばやってくる資本主義の荒波——景気の激しい浮沈のために、高福祉国家の路線に制限を加えざるをえなくなり、その路線を断念したという経緯がある。特に一九七三年、一九七九年のオイルショックによる経済ダメージ、それによる財政赤字拡大が足かせとなった。資本主義の荒波を受けて、高福祉国家という船を諦め、別の船に乗り換えざるをえなくなったのだ。

高福祉を実現するには、資本主義の荒波を乗り越えられるだけの豊かで安定した経済、そして、国民が高い税金に納得するだけの充実した社会システムが必要である。高福祉路線を断念した国が多い中、北欧諸国やスイスが今も安定的な経済を維持し、国民の理解を得て高福祉を実現できているのは、一つの成功例としてみることができるだろう。

国民の理解については、「ともいき」に基づき、政府と国民が一体となってオーナーシップを発揮しながら国のあり方を決め、社会システムの充実度を高めてきたことが、その理由だと考えられる。一方、豊かで安定した経済をもたらした最大の理由は、資本主義の荒波を乗り越えるだけの「ともいき」経済を実践していることにあるだろう。

北欧諸国には、母国語以外に英語を流暢に操る人が多い。人々の英語力は世界トップレベルで、自国市場が狭いために早くからグローバルなビジネスを展開し、コミュニケーション能力にも長けている。北欧諸国の人々はこうした素養を土台として、ビジネス環境の変化に素早く対応し、資本主義の荒波を乗り越えられるだけの力を高めてきた。政府も様々な政策を通じて自国企業の海外展開を後押ししている。

また、社会全体で「ともいき」という明確な目的を共有し、その実現に向けて効率的・合理的に物事を進め、違いや立場を越えて合意形成を図るという点でも優れている。性別にかかわらず、誰もが機会均等の下で自由に職業を選択することができ、高齢者、移民、障がいを持つ人にも様々な働き口がある。仕事と子育て、介護の両立などにおいて柔軟な働き方が認められており、たとえ短時間の就業でも生産性と収益性の高い仕事が行える仕組み、豊かな生活を担保する制度が整えられている。

多文化共生策を選択し、多様性を発展の力にしてきた歴史から、異質なものを許容する度合いが高く、職場では民族的・宗教的にも様々な人々が一緒に働いている。新しいアイデアやイノベーションが生まれやすい環境にあると言えるだろう。

さらに、経済の安定的維持のために、自国の食糧自給率とエネルギー自給率を上げるという明確な決意と実行がみられる。食糧とエネルギーは生活の基盤だ。それらを国際事情の変化により揺るがされるようでは、どんな経済も成り立たない。以前はこれらを外国からの輸入に頼り、自給率が低い時代があったが、それを国の課題と捉え、政治家も人々も一丸となって自給率を高くする努力を続けてきたという。その結果、現在の食糧とエネルギーの自給率は日本よりずっと高い。

北欧諸国には、資本主義の荒波が襲ってこようと、他国の状況が変わろうと、振り回されずに「ともいき」経済を安定して維持しようという姿勢が明確にある。特に、不確実性の高い現代において、生活の基盤となる食糧とエネルギーの自給率向上は絶対的に必要であり、その有無によって人々の幸福度には大きな差が生じる。

日本は、たとえ防衛費を増額して武器を買ったところで、もしも兵糧攻めをされれば、たちまち餓死させられてしまうような、低い食糧・エネルギー自給率の国である。日本も北欧諸国等を見習って、食糧とエネルギーの自給率を上げるべきだろう。

経済の分野で北欧諸国と日本の現状を比較すると、北欧諸国は病気や老齢、また失業しても心配がいらないだけの社会保障が充実しているため、貯金に精を出す人は少ない。一方の日本は、あまりにも「タンス預金」が多すぎる。

日本人のいわゆる個人金融資産は二〇二二年時点で約二〇〇〇兆円。年間の国家予算約一〇〇兆円（一般会計分）の二〇倍近くもある。さらに、このうち株や投資信託、土地建物などを除けば、残念なことに一〇〇兆円超の現金が日本中の家庭に眠っているのだ。

将来に不安を抱く人にとって、タンス預金は最も安心できる保険かもしれないが、お金は経済の潤滑油であり、眠らせたままでは全く意味がない。有効活用する方策や政策があっていいはずだ。多くの日本人が出資したいと思い、元本割れせずに収益を生むような仕組みで、かつ社会のために役立つアイデアが必要である。それによって「お金に生きるのではなく、お金を生かす」人々になるだろう。

日本には、ともいき主義の社会を実現するための「お宝」が眠っている。それを上手に活用できれば、北欧諸国以上に幸福度の高い「ともいき」の国を造ることも可能だと私は思っている。

## ■日本ならではの「ともいき」社会を

北欧諸国の社会は、「国際競争力の向上につながる」仕組みも持っている。

これらの国は伝統的に製品市場や金融市場の規制が少なく、ビジネスの自由度が高い。そのため、衰退産業から成長産業への転換を素早く行うことができる。産業転換に伴うリスクとコストを社会全体の「ともいき」で負担し合うことにより、人材の流動性と共に高い国際競争力を維持しているのだ。規制に次ぐ規制で新たな挑戦が阻害される日本とは大違いである。

さらに北欧諸国では、最先端の科学技術を社会に取り入れる点でも優れている。

北欧はＩＴ先進国であり、その普及率はアメリカや中国よりも高い。行政の手続きは全て電子化され、一枚の社会保障カードを持っていれば、医療も年金も市民サービスも全て受けられる。早くから国を挙げてサイバー・情報セキュリティ戦略を推し進め、役所も企業もペーパーレス、生活はキャッシュレスが当たり前。いまだにファクスを使い、印鑑や紙に頼る日本の役所や企業とは大違いだ。

目的に照らして、社会にとって真に役立つ効率化・合理化は素早く取り入れる。こうした柔軟な風土も、社会はもちろん、個人の生活を豊かにするという「ともいき」の考えに基づいたものである。

アメリカの産業社会学者ハロルド・ウィレンスキーは、国が豊かで安定した経済を維持できる時、たいていの国は福祉国家、高福祉国家になると語っている。北欧の国々は「ともいき」に基づく政治・経済により、変化に対して柔軟に対応しうる社会を構築し、国際競争力を高めてきた。そして、資本主義の荒波を乗り越えて豊かな経済と安定した税収を実現し、高福祉社会を維持してきた。このような社会の仕組みを整えることができれば、ともいき主義の国造りは実現可能なのである。

私たちもアジアにおいて、日本らしいともいき主義の国造りをしていくべきではないだろうか。世界の人々が見習いたいと思うようなモデルケースをつくり、発信していくのである。それが今日の世界に対する何よりの貢献となるだろう。

前述したように、明治時代の日本社会は内外に多くの杞憂を抱えながらも、人々のともいき度、幸福度が高い社会だった。また、それ以前から社会のそこかしこに、みえない形の「ともいき」精神が根づいていた。このように、日本人は「ともいき」社会をつくり出せるだけの歴史的素養を持ち合わせている。大切なのはその事実をしっかりと学び、「ともいき」社会を具現化する方策を真剣に探っていくことである。

北欧諸国の人々は「自分たちはこうありたい」という明確なビジョンを掲げ、数十年かけて社会全体で議論しながら、実現に向かって歩んできた。私たち日本人も一人ひとりが明確なビジョンを抱き、社会へのオーナーシップに基づいて議論を深めながら、未来のために一歩ずつ進んでいくことが大切である。

## ■人々は「ともいき」に向かっている

「ともいき」経済とは、安定的な経済成長を維持することで、格差のない豊かな社会を実現し、一人ひとりが豊かさを享受できるような経済の仕組みをいう。それゆえ、経営者を筆頭に、全ての経済人の思考と行動が重要になってくる。

経済人がともいき主義をしっかり心に刻み、財（商品）やサービス開発においてその具現化を試みていくならば、社会はより豊かになり、人間的で住みやすい場所になっていくだろう。その積み重ねが経済の質を高めていくことにつながる。

幸いなことに、日本を含めた世界では「ともいき」経済の実現を後押しするような変化が現れ始めている。

資本主義経済の中心を担ってきた株式市場では、利潤追求に邁進する企業ではなく、事業活動全般で「SDGs（持続可能な開発目標）」や「ESG（環境、社会、企業統治）」を強く意識している企業が評価されるようになった。最近は、一般にも広くSDGsが浸透し、消費者の意識にも変化をもたらしている。

こうした流れを受けて、近年は欧米企業を中心に「サーキュラー・エコノミー」（循環型経済）による事業活動が進められている。地球から資源を奪い、モノを生産・消費し、使い終わったら廃棄するという一方通行の経済システムでは、もはや持続不可能なところまで来ているからだ。「3R（リユース・リデュース・リサイクル）」もあるが、現状は再資源化に限界があり、少なくない廃棄物や汚染物質が出てしまう。

サーキュラー・エコノミーは、モノやサービスの企画段階から「廃棄物と汚染物質の発生をゼロにする」プランを考え、投入した資源をとことん使い続けるというものである。資源を廃棄せず、一つのサーキュラー（円）の中でグルグルと循環させるところから、この名がつけられた。

ビジネスのあり方も変容している。事業活動を通じて直接的に貧困や差別、環境汚染といった社会問題の解決を図る「ソーシャル・ビジネス」に取り組む企業が増えている。最大の特長は、外部からの支援や寄付金に頼らず、ビジネスの手法を取り入れることで自ら収益を上げて事業を成立させ、継続的な社会支援を行っている点だ。

従来、こうした活動はボランティアやＮＰＯ、企業のＣＳＲの範疇《はんちゅう》とされてきたが、収益は度外視されていたため、継続性という面で課題を抱えていた。ソーシャル・ビジネスはこの課題を解消する画期的なモデルとして注目を集めている。

インターネットの普及により、不特定多数の人から資金を集める「クラウドファンディング」も、新しい資金調達方法として定着しつつある。社会を良くするアイデアやプロジェクトに対して、国内だけでなく世界中から共感・支援・応援が集まる点は、ともいき主義に通じるものがある。

モノやサービスの消費に関しても、所有から共有への流れを推し進めたシェアリング、サブスクリプション（定額制サービス）などの市場が軒並み拡大している。車をシェアして使うカーシェアリングなどはその代表だろう。そのほか、サステナブル消費（地球環境に負担をかけない消費）、エシカル消費（人権や環境等に配慮した倫理的に正しい消費）が支持されるようになった。こうしたことからも、他者への愛や思いやり、平等・公平な分配といった「ともいき」経済に通じる文脈を読み取ることができる。

これらの新しい潮流を牽引しているのが、一九八〇～一九九〇年代半ばに生まれた「Ｙ世代」、一九九六年以降に生まれた「Ｚ世代」と呼ばれる若者たちだ。彼らは日常的にツイッターやインスタグラム、ユーチューブ、ティックトックなどのＳＮＳ（ソーシャル・

ネットワーキング・サービス）を使いこなして情報を受発信し、国境や文化、言語、時間を軽々と飛び越え、世界中の人々と共有や共感によってつながり合っている。

そして、膨大な情報にふれる中で、多様性や自分らしさ（アイデンティティ）について学び、資本主義や共産主義の裏側にある課題を知り、新しい価値観をつくり出してきた。このような若者たちが社会に対する貢献意識、つまり世界から失われつつある「ともいき」に目覚め始めていることは、とても嬉しいことである。

現代の若者は情報の真偽にも敏感だ。最近は巧妙なフェイクニュースが増えているが、情報の真偽を探るためのシステムも登場しており、特に「オープンソース・インテリジェンス（ＯＳＩＮＴ）」が注目を集めている。中立な第三者が、世界中のネットワーク上から合法的に集めたデータをもとに、国や企業が発信した情報の真偽を分析するものだ。

たとえば、ロシアがウクライナに侵攻した際、人工衛星が捉えたロシア軍の動向が映像として公開され、世界中の人々がそれを目にした。フェイクニュースが発信されても、これを使えば情報の真偽が判断できるようになったのだ。こうした正しい情報の共有は、世界の「ともいき」を後押しするものとなるだろう。

昨今の技術革新やビジネスの変化は、「ともいき」の心を持った者には手助けとなるものが増えてきており、こうした流れも天からの後押しのように思えてならない。

## ■価値あるものを「共有」する社会へ

経済の環境変化の中で、私が注目しているのが「シェアリング・エコノミー」だ。これは個人や企業が所有する物、サービス、場所、時間といった有形無形の資産を不特定多数の人や企業と共有・交換・売買して利用する仕組みで、自動車やオフィス、居住スペースなど、様々な分野で新しいビジネスや市場が誕生している。不用品を出品し、それを必要とする人との間で売買するフリマアプリの爆発的な人気はその象徴と言えるだろう。

もはや私たちは、「モノを所有する」ことに大きな価値を見いだしなくなっている。それよりも、モノが有する機能や価値を共有することにより社会全体で利便性を高めること、自分だけが所有するという充足感よりも「互いに分かち合うことで得られる満足感・幸福感」をより重視するようになったのではないだろうか。

社会が変化する中で、我が国の経済のありようも大きな変革期に差し掛かっている。「奪い合い」を前提とした資本主義経済が終焉を迎えつつある今こそ、次を担う新しい経済のあり方が登場してこなければならない。私はそれこそが「ともいき」経済であると考えている。それは、お金ではなく愛が出発点となり、人間の想像力・創造力を存分に駆使し、「与え合い」によって共に喜びや豊かさを分かち合いながら生きるための経済だ。

「ともいき」経済では、モノやサービスの量を無限に増やし続けること、所有することには価値を見いださない。「自分だけが儲かればいい」といった、自己中心的なふるまいも良しとはしない。むしろ、オーナーシップに基づいて国家財政や地球資源を「全人類の共有資産」として活用し、一人ひとりの役割・能力・技術を生かしながら高品質な商品やサービスを生み出そうと努力するものである。

真に価値あるものを受け取る喜び、あるいはそれを提供する喜びを通じて、互いの喜びが共鳴し合い、その循環によって経済を成長させていく。こうした真に持続可能な経済システムの基盤をつくることで、従来とは異なるベクトルでの経済成長を目指していく。それでこそ、本当の意味での「経済ビッグバン」が果たせることだろう。

## ■革新的技術と「高付加価値社会」

ともいき主義の社会を実現するためには、科学の分野でも革新的な技術を集め、活用することが大切である。世界を見渡せば、そのためのヒントはたくさんある。

たとえば、私たちのグループでは、世界一の熱伝導率を誇るマイナス一℃～マイナス一二〇℃の低温・凍結技術で食品や医薬品、血液や臓器を、細胞を壊さずに品質を温存させたまま世界中に輸送する技術、あるいは、光を当てるだけで材料の色を一瞬にして二〇〇種類の色に変化させることができる技術（フォトクロミック材料）、針を使わず指の圧力だけで注射できる技術、従来の機器以上に正確で豊富な健康データ収集・管理ができる新型ウェアラブル機器、その他の新技術の開発・普及を支援している。

私が革新的技術の開発を積極的に支援する理由は、新技術の活用こそ、ともいき主義の実現を加速させるブースターになると考えているからだ。

「世の中を良くしたい」という使命を抱き、様々な革新的技術を研究・開発している企業は世界中にある。しかし、その多くはベンチャーやスタートアップ、中小零細企業であり、資金や販路拡大の方策に乏しいため、日の目をみないまま頓挫してしまうこともある。

科学の発展は、経済活動や社会の発展と密接に関係している。新たに確立された方法論や技術は、今までにない価値を持ったビジネス、財（商品）やサービスを生み出し、現実世界を豊かなものにしていく。こうした成果が経済成長を後押しし、再び新しい方法論や技術の登場につながり……といった経済の好循環を通じて社会が発展していくからだ。

資本主義において科学の発展は、主に「拡大再生産」に役立てられてきたが、前述した通り、それは様々な課題をもたらし、もはや限界を迎えている。

一方、「ともいき」経済で目指すのは、高付加価値の循環をもたらす「高質再生産」である。ポイントは、量ではなく質を高めていく、という点である。たとえば次のようなものだ。

商品やサービスを企画する際、人の為、社会の為、地球の為につくることを最上位目的とし、アイデアを検討する。優れた既存技術があっても、この最上位目的に照らした時、それ以上に優れた新技術があれば、迷わずそれを採用する。既存技術やビジネスモデルを有する企業がすでに多くの雇用を生んでいたとしても、国や社会の大多数の消費者や暮らしが良くなる方向で改善するなら、躊躇なく速やかに新たな技術やビジネスモデルを採用し、好循環社会を目指す。その際、既存技術やビジネスモデルを有する企業には配慮（一定の支援）を同時に行い、新たなイノベーションに向けた変革を促すことで、最大多数者の最大幸福を実現する。また、当然ながら生産から廃棄においては、再資源化や高効率化によって環境汚染や廃棄物を出さない方法を選択する。

この「高質再生産」というプロセスが繰り返される中で、モノづくりのあり方から商品・サービスまで、あらゆるものの質が累進的に高まっていく。そして、愛に満ちた商品やサービスは付加価値の高いものとなり、人々の心や体を喜ばせ、その質を高めていく。この過程で、人の為、社会の為、地球の為にならない仕組みや技術は淘汰され、前例のない仕組みや技術でも目的に適うものは取り入れられるようになる。新陳代謝が図られることで本当の意味で質の高いものだけが残り、付加価値の向上に寄与するようになる。生産・消費・廃棄（資源循環）のあり方は真善美に適ったものとなり、企業、顧客、社会に高い付加価値をもたらすものになっていく――それが「高質再生産」である。

他方、人々のニーズに合致した質の良い商品やサービスを手頃な価格で売り出した時、その企業はたいてい業界でシェアを握ることになる。しかし、企業の生存競争の中で、さらに質の高いものを低価格で売り出す別の企業が出てくると、シェアを握っていた企業が「何万人もの社員を抱えているのに、うちを潰す気か！」と、それを正当事由にして潰しにかかってくることがある。こうした時、お役所は「何万人も雇用が失われるのは由々しき事態」と言うだけで、仲裁にも入らず、静観しているだけだ。

ともいき主義は高質再生産だから、質の良い商品やサービスが出てくれば、業界も自発的に変わっていかなければならない。自利的な欲得のために既得権益にしがみつくのではなく、「何が皆の為、社会の為なのか」を常に考え、さらに質の高いものを追求していくことが求められる。何をするのが愛なのか、「ともいき」なのか、真理なのかを考える企業や個人になる必要がある。欲得にしがみつき、他を蹴落とそうとするならば、その姿勢は国民全体の価値を下げるだけだ。

「それは私心か、それとも皆にとって益になることか」を常に判断基準とする。それが「ともいき」経済の根幹になる。また、それなしに日本や世界は発展しない。真の発展をもたらすのは常に自らと他者の質を高めるために変化すること、ともいき主義に基づく「皆のための高質再生産」なのである。

住宅なら、二〇年、三〇年で価値がゼロになるような住宅ではなく、一〇〇年、二〇〇年と末永く快適かつ健康に暮らせることはもちろん、エネルギー効率に優れ、環境負荷がきわめて少ない地球にやさしい住宅が望まれる。

農業においては、農薬漬け、化学肥料漬けの農産物では、健康には貢献できない。当然、美味しくもない。現代人は栄養価の低い農作物を食べているから、量を食べても低栄養状態や生活習慣病が改善せず、サプリメントなどに頼ることになる。しかし、自然が本来有するレベルにまで栄養素が回復すれば、もはやそのような必要はなくなるのだ。

農産物を開発・生産する時、それは身体に良く、美味しくなければならない。そのために生産者は、農薬と化学肥料を使用せず、自然や微生物との「ともいき」によって、農作物を元気に育てるための土壌や環境をつくる必要がある。そして、害虫や病気に強く、骨太の野菜や果物としなければならない。

こうした課題を解決するために、私は近い将来、革新的な技術と第一次産業がリンクしていくことで、農業をはじめ、酪農畜産、水産業、林業などの第一次産業が飛躍的に発展する時期が訪れると考えている。すでにアグリテック、フードテックという言葉も登場しているが、私たちのグループもそれらを支援する取り組みに着手している。

世界の人口が増え続ける中で、食糧問題は今後ますます深刻になってくだろう。世界の穀物生産量は毎年二六億トン以上あり、在庫を含めれば世界の人口を賄えるだけの食糧が生産されている、という話もある。それにもかかわらず、世界では約八億人が慢性的な栄養不足や飢餓に襲われており、一方で毎年約一三億トンもの食品が廃棄されている。

食糧の生産量や収穫量が増え、栄養の質が向上しても、資本主義経済のままでは飢餓や食品ロスなどの問題は解決できない。だからこそ、ともいき主義に基づく社会・経済をいち早く実現し、高質再生産によって得られた高付加価値な食糧を分け隔てなく届ける仕組みをつくり、豊かさや幸せを提供していかなければならないと、私は考えている。

## 全体最適をもたらす「高効率濃密社会」

高質再生産は、継続的に高付加価値を社会に提供するだけでなく、「高効率濃密社会」をもたらすこともできるだろう。

高効率濃密社会とは文字通り、高い効率性を保ちつつ、密度の高い効果を発揮できる社会である。単に効率だけを追求し、品質が落ちるような「安かろう、悪かろう」といったものでは決してない。

「ともいき」という最上位目的に照らして改善を図ることで、上手に無駄をなくし、あらゆる物事を効率的に変えることで最大限の成果を発揮する。最小限の手間や負荷で、最大限の効果をもたらす最小最大の法則に基づいた効果が得られるものだ。

ビジネスの世界を見渡してみれば、縦割り組織や「タコツボ化」に代表されるように、つながりや連携、他者への思いやり、助け合いがないことで、本来は必要のない無駄があちこちで生じている。あるいは、手段の目的化に陥って形骸化しているルール、一部の人の既得権益を守るために維持されている無意味な仕組みもたくさんある。こうした様々な無駄も、一人ひとりが「ともいき」を最上位目的として思考し、改善を図っていけば、高効率濃密社会を実現することができる。

物流業界では、A地点からB地点に向けて荷物を運んだ後、帰りの荷台は空のままということがある。「片荷」と呼ばれ、業界全体の課題となっているそうだ。

たとえば、B地点から他の場所に物品輸送を依頼したい人がいた時、そのニーズに瞬時に応えることができれば、物流会社も顧客も喜び、資源の有効活用や環境負荷の低減にもつながる。まさに「三方良し」だ。このように、「ともいき」の視点で従来の仕組みを見直していけば、高効率で無駄のない社会が実現できる。

日本では少子化の影響で人手不足が常態化しているが、どの業界も旧態依然とした枠組みから抜け出せず、効率化は遅々として進んでいない。そうした状況を考えれば、あらゆる業界で無駄を排除し、イノベーションを起こすことが可能だ。

今日では「ライドシェア」も登場している。車の所有をシェアするのではなく、相乗りのマッチングを支援するシステムだ。たとえば「私は○○まで行きますが、車内に空きがあります」とアプリで発信すると、それをみた人が同乗を希望し、瞬時に交渉が成立する。運賃の分け合いはお金でもポイントでもいい。利便性が高く、コストも安くなり、高効率で濃密な仕組みである。ところが、今までにないサービスが登場すると既存業界から猛反発が起こるため、なかなか普及しない。

こうした場合、どの視点で考えるかが大切である。最近は様々なシェアリング・サービスが登場しているが、モノの販売が伴わないために、シェアリングが増えてもＧＤＰには大きく反映しないだろうし、旧来のビジネスモデルで利益を得ていた既存業界には何らかの変革を迫ることになる。だが、今までになかった付加価値の高いサービスは、社会全体の発展に大いに役立つ。

つまり、個別最適を取るか、全体最適を取るか、ということである。利便性が高まり、コストが安くなって得をするのは全ての消費者だ。既存業界の人々は変革を嫌うかもしれないが、新たに登場した付加価値の高い商品やサービスが国民に広がれば、既存業界はたちまち衰退に追い込まれるだろう。ならば、早い段階で変革を受け入れ、さらに質の高い商品やサービスを開発する道を選ぶほうが賢明である。

このように高効率濃密社会とは、質の向上を全体最適の視点で考えることで全員が等しく利益を得る社会であり、副次的効果としてビジネスの新陳代謝をも促し、経済を活性化させるものなのだ。

この高効率濃密社会を実現する上でカギとなるのは、革新的な技術の導入である。その代表が近年注目されるブロックチェーン、AI（人工知能）、IoT（モノのインターネット）、また膨大なデータを保存するクラウドの活用だろう。

昨今はIoTによってパソコンやスマートフォンだけでなく、家電や自動車などあらゆるものがインターネットと連携し、収集された膨大なデータはクラウド上に保存され、AIによる分析を通じて様々な活用がなされている。こうした仕組みにより、私たちはどこにいても、どの端末からでも、必要な時、必要なデータに素早くアクセスできるようになった。

膨大なデータの運用・管理において注目されているのが、ブロックチェーンだ。

ブロックチェーンは、暗号技術を用いて分散的にデータを処理・記録するデータベースである。サーバのような中央集権型ではなく、ネットワーク上にある複数の場所に分散してデータが管理されるため、セキュリティ性が高く、改ざんや改変といった不正行為が困難という特徴がある。また、前述の特徴から、一部の障害によってシステムが停止する可能性が低く、常時正しい取引が可能となる。

ブロックチェーンはすでに仮想通貨（暗号通貨）の流通などで使われているが、活用分野はそれだけにとどまらない。たとえば今日、不動産登記料は高額で、取得税や登録免許税が一〇％もかかることがある。一億円の不動産が一〇回売買されたら二億円にもなる。現在のＩＴ社会でこれほどの高額の費用がかかること、そして、手続きにかかる様々な業務や人件費が伴うことは、もはや非効率としか言いようがない。

これをブロックチェーンで効率化すれば、無駄なコストや手間が削減されるため、格安で取引・管理ができるようになる。同じく、国の納税処理や企業の財務管理も大幅に効率化が図られ、現在は当たり前のように支払っている手数料もタダ同然になるだろう。

国や企業は浮いた予算で新たな投資を行い、生産性を上げていくこともできる。手続きや処理の手間が大幅に削減され、コストは下がり、本当に必要な投資が行えるようになるなど、国や企業、一般の人々、全ての人が恩恵を受けることができる。

ブロックチェーンについては、個人情報の漏洩を心配する向きもあるが、共有すべき情報は共有し、すべきものではないものは暗号化するなど、情報の厳重な管理は技術的に十分に可能だ。新たな取り組みを進める際は、柔軟性を持って物事を捉え、取るべきリスクは取ることも必要なのである。

『〈効果的な利他主義〉宣言！』（みすず書房）の著者であるウィリアム・マッカスキル（オックスフォード大学准教授）も、世界で進歩を遂げつつある革新的テクノロジーを用いて最大限のインパクト（社会的・環境的な変化や効果）を生み出し、実践的な変革を起こすべきだと述べている。地道で合理的な分析をもとに、複数の選択肢の中から最大の効果を上げそうな方法を選択し、実践する。こうしたプロセスに革新的なテクノロジーを組み込むことで高効率濃密社会を築くことが、効果的な利他主義＝ともいき主義につながるのである。

二〇二二年は急激な円安が進み、物価上昇で苦しむ企業も増えているが、こうした時に大切なのは、古い仕組みに執着せず、変化に素早く対応することだ。ＡＩやＩｏＴ、クラウド等を取り入れ、業務の仕組みの高効率化を図ることで、人件費を抑え、無駄を省くことが可能になる。ＡＩ等を駆使すれば、自社の商品やサービスに関する需給予測だけでなく、顧客に受け入れられている点や改善点などを客観的なデータで把握することができ、付加価値を高めていくための戦略についてもアドバイスが得られるだろう。

また、昨今の歴史的な円安は悪いことばかりではない。輸出産業にとってはプラスであるし、インバウンドにとってもプラスだ。海外から来る観光客にとっては、円安効果で日本の物価は非常に安くみえ、それは彼らの購買欲にもつながる。日本が海外の人々にとって「行きたい国」になることは、日本人のともいき主義を体感してもらう良い機会となるだろう。

観光庁によれば、二〇一九年の外国人観光客数は、第一位のフランスは年間約八九〇〇万人、日本は第一二位で約三二〇〇万人となっている。私は、日本はフランス並みかそれ以上の外国人観光客数を実現できると考えている。日本には彼らを喜ばせるような観光資源がまだまだたくさん眠っているからだ。八〇〇〇万人超の外国人観光客が生み出す需要はきわめて大きい。それは日本各地の産業や商業を活性化するだろう。これを実現するには、海外の人々にとって魅力的なものを各地につくるためのアイデアが必要だ。そのアイデアを実現するためにＡＩやＩｏＴ、クラウド等を活用するのである。

また、この歴史的円安は「失われた三〇年」を終わらせ、日本復活の起爆剤となる可能性もある。過去の円高の時代に、多くの企業は海外に工場等を移転してきたが、今やその日本回帰が始まったからだ。外国人投資家の日本株投資も増加していくことだろう。このチャンスをものにするためにも、これら新技術を活用し、実りある事業展開をしていくことが求められる。

さらに、ブロックチェーンやＡＩ、ＩｏＴ、クラウド等を活用することで最も効果が得られるのは、人々の健康の維持管理であると私は考えている。

近い将来、私たちはあらゆる身体情報を簡単に測定できるウェアラブル端末を通じて、生活習慣や既往歴などのデータを収集するようになるだろう。そして、医療従事者やＡＩが個人の状態やビッグデータに照らして、最適な病気の予防法や治療法、食事や運動を提供する。個人の身体情報はクラウドやブロックチェーンを通じてリアルタイムで管理されるため、情報漏洩の心配もなく、いつでもどこからでもアクセスできるようになり、何か問題があれば、医療者とのコミュニケーションも容易にとることができるようになる。

超高齢社会となった日本では、予防医療の重要性が指摘されてきたが、このような未来が実現できれば、社会保障費の削減に貢献するだけでなく、一人ひとりの健康寿命の延伸にも大きく役立つことだろう。

革新的な技術の開発を促進し、これを実用化して高質再生産による高付加価値社会、高効率濃密社会を実現していくことが「ともいき」経済の基盤なのである。

## ■まず経営者が立ち上がるべき

現在、日本は幕末期以来の国難の時を迎えている。

約一二〇〇兆円もの公的債務を抱え、多くの自治体が破綻寸前の状態にある。人口減少、超高齢社会により、年金をはじめとする従来の社会システムは破綻しかけている。経済はいまだに低迷を続け、大企業も中小企業も、ビジネス環境の急激な変化に対応できないままに時を過ごし、今では事業存続と事業継承の問題にあえいでいる。

人々の収入も伸び悩む中、様々な課税で家計は圧迫され、近年は国際情勢の混乱、円安の進行などを受けて物価上昇の圧迫まで受けている。現在の日本が抱える様々な課題に対して、国は何ら有効な打開策を打ち出すことができず、多くの人が将来に希望を見いだせないでいる。

幕末期における国難が、西洋列強の軍事力による植民地化侵略に起因していた一方、現代の国難は経済問題、つまり企業会計でいうＢＳ（貸借対照表）とＰＬ（損益計算書）に起因した問題とみることができる。

このような視点に立脚するなら、国難を乗り切るために先陣を切らなければならないのは、日本経済を牽引する企業の経営者たちであろう。経営者となったならば、たった一度の人生を利潤追求に費やすのはナンセンスである。人生は決して長くはない。金儲けと娯楽に生きたところで、その人生に一体何の意味があるだろうか。「自分が生まれた時よりも、少しでもこの世界を良くして」死んでいくことこそ、本望ではないだろうか。

経営者こそ、自らの能力をさらに磨き、それを国や社会、ひいては世界の為に活用すべきなのである。何より、我が国の現状を鑑みれば、ともいき主義の運動を盛り上げていく役割は、全国の経営者が最もふさわしい。また、それは経営者にしかできないことだと私は考えている。

というのは、一万人企業の経営者の下には、一〇〇万人の社員・家族・親戚がいる。一〇万人企業の経営者の下には、一〇〇〇万人の社員・家族・親戚がいる。国難に際して、日本中の経営者がともいき主義に基づいた明確なビジョンを描き、実行するならば、経営者は真のリーダーとなり、計り知れない数の人々に貢献することができる。

日本と世界に何かしら貢献を残せるなら、それが私たちの生きた証となる。そのような生き方が、私たちに死後にまで続く永遠性を与えるのである。全国の経営者にはぜひ、リスクを恐れず経営を通じてともいき主義の実践に挑み、真のリーダーたらんとする勇気と覚悟を示していただきたいと思っている。

## ■経済の目的に立ち返る

一代で京セラやKDDIを巨大企業に育て上げた稲盛和夫は、新しいことを始める時は「それは皆の為になることか、それとも私心か」を絶対的な判断基準にしていたという。言い換えるなら、「ともいきか、私心か」を判断基準としていたのだ。

事実上倒産した日本航空を再生するために無報酬でその仕事を引き受け、見事に再生させたことも、その判断に基づいた行動だった。経済人でありながら、自分本位の利潤追求ではなく、皆のために高付加価値を提供していこうという姿勢こそが、社会を本当に豊かにしていく道である。それはまた、成功を引き寄せる秘訣でもある。

資本主義経済がこれまで経験してきた浮き沈みをグラフ化すれば、山あり谷ありの放物線が描かれるだろう。そして、この中で行われてきた投資活動は、株式市場であれ、為替であれ、商品市場であれ、この山と谷をターゲットとして、谷で買って山で売ることを目的としてきた。たとえるなら、アップダウンのきついジェットコースターに乗り、スリルを楽しむようなものだ。

しかし、国内外で社会不安が高まっている今日は、ジェットコースター経済に乗りたくない人たちが急増している。そもそも、激しい浮き沈みを望むのは一部の人に限られ、世界中の人々は平和で安定した人生を望んでいる。その意味でも、経済を安定的に発展させ、誰もが豊かさを末永く享受できる社会や経済の新しい仕組みが必要なのである。

質の高い新しい経済が必要なのだ。今日、経済がGDPなどの数字で理解されることは多いが、大切なのは量や規模よりも、人々に「満足」を与える質の高い経済である。この満足感は数字ではなかなか表せない。だが、それこそが経済活動の目的である。

もちろん、企業や経済を持続可能なものにするための利益は必要だ。しかし、企業の売上が伸び、日経平均株価が上がっていても、一般の人々の生活が上向かず、満足感が得られていないという事実もある。それは、企業が売上重視で無理に売上をつくろうとして、「価値のないもの」まで売ることがあるからだ。価値のない事業、産業を育成しようとしてしまうこともある。しかし経済の目的は、人々の生活に満足感をもたらす財とサービスを、適切な価格で提供することである。企業活動の価値はそこにある。

たとえば、所得が現状維持だとしても、経済の質が良くなり、これまでと同額でより質の高い商品やサービスが受け取れるなら、満足感が格段に上がり、人々は豊かさを実感するようになるだろう。

大切なのは高質再生産の経済である。人々が求める質の高い財とサービスを、革新的な技術を活用して効率的に生産・流通させ、世に行き渡らせることだ。そうして世の中に満足感が行き渡った時、誰もが豊かさを享受できる「ともいき」社会が現れる。

## ■石田梅岩の「ともいき」経営

経営学者ピーター・ドラッカーは、「マネジメント（経営）とは人のことである」と語っている。単に利益を上げることだけが経営ではなく、経営で目指すのは「人」の幸福と成長であるとしているわけだ。

これは優れた考え方である。しかし、決して目新しいものではない。というのは、今から三〇〇年前に、同様のことを唱えていた日本人がいたからだ。「石門心学《せきもんしんがく》」を確立した江戸時代の思想家・石田梅岩《いしだばいがん》である。

農家に生まれ、のちに商人となった梅岩は、人生を懸けて「人としての正しい生き方」「正しい商売、経済のあり方」を考え続けた人だった。そして、「正直」「勤勉」「時間に正確」など、「商人道」ともいえる経営哲学を確立した。

梅岩は「富の主は天下の人々である」とし、私が言うところのオーナーシップにも言及している。彼は、経営とは天下の人々を思うことだとした。また、「実《まこと》の商人は、先も立ち、我も立つことを思うなり」とも述べている。本当の商人は、必ず最初に相手のことを思って行動し、だからこそ結果的に双方の利益がもたらされるという教えだ。

企業の社会的責任については、「二重の利を取り、甘き毒を喰ひ、自死するやうなこと多かるべし」と述べている。社会に害を与えるのではなく、社会を富ませ、幸福度を増すことこそが成功の道、という意味だ。

正しい商い（経営）のあり方を説いた石田梅岩は、ともいき主義に根ざした経営者の先駆けだったと言えるだろう。梅岩亡き後も、弟子たちを通じてその教えは受け継がれ、明治以降も現代に至るまで多くの経営者がその哲学にふれてきた。稲盛和夫も講演の中でたびたび梅岩の言葉を引用し、自らの事業においても梅岩の哲学を実践していた。

三〇〇年前にこれほど優れた経営論、人間論を説く人がいた日本という国に、大きな感銘と誇りを感じると共に、だからこそ、ともいき主義を日本から世界に発信していかなくてはならないとも感じる。

現代の若者たちも無意識ながら気づき始めているように、私たちは「ともいき」の遺伝子を生まれながらに持ち合わせている。今、日本人に必要なのは、眠っている遺伝子を呼び覚ますことだ。それが人生を変え、企業を変え、社会を変える原動力となる。

# 第四章

# 「ともいき」の政治と教育

## ■「ともいき」を失った現代政治

「ともいき」社会をつくるには、「ともいき」政治のリーダーとなる有能な政治家たちが必要である。

「ともいき」政治とは、社会全体が豊かになり、一人ひとりが豊かさと幸福感を享受できる社会、さらに弱者や病者までしっかりと支えられ、未来や老後の心配が取り除かれ、子どもから高齢者まで誰もが生き生きと暮らせる社会、そして国全体が一つの大きな家族となって支え合う「ともいき度と幸福度の高い国」をつくる政治をいう。

だから、国という大きな家族を適切に導く有能な政治家がほしい。ところが残念なことに、今の日本の政治家はあまりに頼りないのではないか。

本来は国家百年の計に立ち、長期的な視点であるべき国の未来を構想し、真摯に政策を実行していくのが政治家の使命であり、役割である。しかし、何ら明確な思想を持たず、日和見《ひよりみ》主義で、能力がないのに不勉強で、ウソや誤魔化しに明け暮れる人物が多すぎる。

その背景には、政治家がお金をもらいすぎていることもある。大いなる理想を抱いて政治家を目指すというより、票とその先にあるカネ目的で政治家になる者が後を絶たない。

アメリカなどでは、金儲け目的の政治家を排除するため、議員の給料は低く抑えられている。大統領や議員の給料は、企業の社長よりもはるかに低い。政治は、お金以上に使命感と奉仕の精神ですべきもの、という考え方があるからだ。ところが日本では、政治家の給料のためにアメリカの八倍もの経費が使われているという。日本の人口はアメリカの二分の一以下なのに、議員数はアメリカの約二倍、各議員の給料も約二倍だからである。

世界を見渡せば、議員は全て無給、ボランティアで行っている国すらある。政治家は給料をもらうため、私利私欲や党利党略のためにする仕事ではなく、同じ国に生きる人々への愛と奉仕の心を示すためにする仕事だ。政治とは、ともいきの仕事なのである。

民間企業なら、誠実に仕事を行い、高い成果を出すからこそ高い報酬が得られる。やることをやらず、高い収入を得る人ばかりでは人々は納得せず、国の発展もない。理想を追い求める者や健全な思想の者が選ばれ、金儲け目的の政治家は排除できる仕組みが必要だろう。日本でも議員総数と議員報酬を削減し、少数精鋭とすべきだ。国会議員の数は、現状の半分で十分だと私は思っている。有能な人はいるかもしれないが、実効性のある仕事もせず、単に党の決定に賛成票を投じるためだけの議員は国政の場から去るべきだ。

本来は使いたくない言葉だが、今日の自民党政治をみても「老害」がまかり通っている感がある。安倍晋三元首相の国葬に関しても、もともと内閣と自民党の合同葬とする考えであったのに、老政治家の強い要求で国葬に変更されたという。その後、人々の反対デモが続くと、老政治家はダンマリを決め込んだ。

私利私欲、党利党略にはしる老害政治は、国民の感覚とずれたものになる。旧態依然で硬直化した政治は、人々に活力を与えるような政策も打ち出せず、発展も希望もない国をつくる。発展する国に老害政治家はいない。政治家の定年制を設けるなり、若い柔軟な発想が打ち出せる風通しの良い政治界にするための努力が必要だ。働き盛りで能力のある者たちが協働する政治こそが、「ともいき」政治の根幹となるのだ。

単に有名人というだけで投票するのでなく、経営者として優れた手腕を発揮している実業家や、経済、金融、世界情勢、国際問題、科学技術、各国の政策などを熟知する専門家、ビジョン構想に優れ、かつ実行力のある人を適切に選び出せる選挙制度がほしい。たとえば、立候補や投票時の判断基準として、ともいき度のような指標があれば、不真面目な政治家は少なくできるのではないだろうか。

ロシアの侵略を受けたウクライナでは、三一歳の副首相ミハイロ・フェドロフが、祖国を守るためにＩＴを使って優れた働きをなしている。戦争が始まれば、まず遮断されるのはインターネットなどの通信網である。そこで彼はいち早く、アメリカのイーロン・マスクの会社がつくった「スターリンク」と呼ばれる衛星通信でインターネット回線を確保した。それを利用してゼレンスキー大統領の演説やロシアの蛮行などを発信し、世界を味方にすることに成功したのである。そして、戦争中でありながら、国民もスマートフォンを利用して情報をやりとりできている。

台湾では二〇一六年、三五歳の天才プログラマー、オードリー・タン（唐鳳）がデジタル担当大臣に起用され、「オープンな政府」「誰も取り残さない社会」を目指して、「ともいき」社会建設のために活躍している。コロナ禍では世界中の民間エンジニアの衆知を集め、濃厚接触者の追跡システムなどをいち早く開発し、感染拡大の封じ込めに成功している。ＩＱ１８０以上と言われる彼は、アメリカの「Foreign Policy Magazine」誌が選出する「世界の頭脳１００人」に選ばれるなど、注目を浴びている。

「ともいき」政治では、このような若い優秀な頭脳と経験豊富な政治家が互いに学び合い、刺激し合って活躍できる場が生まれる。それでこそ、社会全体に豊かさや幸せをもたらす政治が実現できるからだ。

## ■社会全体に恩恵をもたらす経済政策を

自民党一強時代が長く続き、二大政党制が実現できていないというのも、政治力衰退の原因かもしれない。政権与党は権力の座であぐらをかき、野党は党の存続にしか意識が向かず、本質的な論点から大きく外れた発言や提案に終始している。

やはり二大政党が切磋琢磨して刺激し合い、政権を取り合い、政権担当能力を磨き合っていくようでなければ、政治力の向上は望めないだろう。この三〇年間、日本の経済成長が止まってしまったのも、そこに大きな原因があるのかもしれない。

二大政党制のアメリカやイギリスは経済が約三倍に成長し、他の先進国も成長しているのに、日本は横ばいだ。日本だけが取り残された形である。もし経済成長していれば、社会保障費の問題は起こらず、不幸を被《こうむ》る人も増えなかっただろう。

経済成長とは「適度なインフレの好循環」を回すことだ。景気が上がれば、企業の設備投資や雇用に対する意欲が増し、賃金が上がり、消費が増え、物価が上がり、再び企業の売上が上がり、賃金がさらに上がる。その好循環を回すことである。

金融緩和で解決できると思ったようだが、賃金は上がらず、適度なインフレの好循環は起こらなかった。むしろ、ウクライナ戦争などの影響もあって、円安となり物価は上がったが、消費が増えて物価が上がったわけではないから賃金は上がらない。これは悪いインフレであり、人々の暮らしは上向かない。また、高福祉国家を実現するためには税金を上げる必要があるだろう。だが、不況下での増税は不可能である。

こうした時に大切なのは、政府の公共事業（財政支出）を増やして全国を活性化し、経済成長の好循環をつくることである。問題は事業の中身だ。従来の公共事業は、票集めを目的とした「ハコモノ事業」に代表されるように、将来的に付加価値を生まない事業ばかりだった。誰も使わないような道路や施設を公共事業でつくったとしても、ランニングコストがかかるだけで将来の発展には結びついていない。また、ばらまきをしても一時しのぎで将来には役立たない。

これからは高効率濃密社会を目指してＤＸ（デジタルトランスフォーメーション）等を後押しし、科学技術と各産業の発展、効率化、未来産業の構築、および高い生産性の追求を図るべきであろう。それは勤務時間の短縮、高収入、余暇の増加等をもたらす。これからの公共事業も民間と同様、先を見据えた戦略的思考と費用対効果を、厳しい目で判断する経営力が求められる。

かつて一九二九年の世界恐慌後の大不況において、大蔵大臣を務めていた高橋是清は、当時に合ったインフラ整備など大規模な公共事業を行って経済を救った。当時、国は今に劣らず多大な借金を抱えていたが、危機に直面した時こそひるまず、大胆な判断に基づいて事業を成功させたのだ。

同時期のアメリカでも、フランクリン・ルーズベルト大統領が大規模な公共事業を打ち出し、恐慌と大不況から抜け出した。今日も不況やデフレ、悪いインフレから救うにはそのような方策が有効である。

今日の日本に必要なのは、大規模金融緩和ではなく、大規模かつ未来を見据えた公共事業である。金融緩和は通常のもので十分だ。大規模金融緩和などというものに莫大なお金を使うより、大規模公共事業にお金を使ってほしい。

経済政策とは、企業に事業拡大のチャンスを与えることである。付加価値を生み出す公共事業が増えれば、企業も設備投資や雇用を拡大し、給料は上がり、消費が増えるという好循環がつくられる。国が人々と共に生きる「ともいき」の発想を持てば、それは容易にわかるはずである。

安定した経済成長は「ともいき」社会の基盤となるが、本来、経済成長は最上位目的となるものではない。あくまでも、より良い社会を築いていくための手段だ。だが、かつて経験した高度経済成長期やバブル全盛期の記憶から、「経済が成長すれば全ての課題が解決される」という間違った認識が広がり、手段の目的化に陥っていると感じる。

経済成長は大切なことだが、資本主義型の経済成長では社会問題の解決にはつながらない。経済成長に対する解釈や視点を変えなければ、「ともいき」社会の実現にも近づかないのだ。

## ■自国第一主義からともいき主義へ

戦後、国際舞台に復帰して以降の日本は、経済的な競争力を拠り所として国際的地位を高めてきた。しかし、競争力の低迷と共にその地位も年々低下している。このままでは、日本の声は世界に届かなくなってしまうかもしれない。

だからこそ、どの国よりも先にともいき主義を世界に向けて広く発信しなければならない。日本には、ともいき主義によって世界をリードできるだけの素質があるのだ。

たとえば、日本は今後、ともいき主義によるアジア版のEUをつくり、繁栄と平和を目指すべきではないだろうか。中国の『三国志』には「天下三分の計」というものが出てくる。強敵がいるために天下全体を支配するのは難しく、まずは天下を三つに分けて支配する形を目指そうとする作戦である。

現在の国際政治も、様々な国の思惑が複雑に入り混じっている。「ともいき」による世界の平和と安定をゴールと考えるなら、まずはアジア版EU、ヨーロッパのEU、アメリカという三つの領域の特徴や実状を踏まえた形で、それぞれに「ともいき」の推進拠点をつくることが望ましい。これは、あくまでも最終目標に至るまでの途上的な平和繁栄政策であるが、マイルストーンとして有効なものと言えるだろう。その後、三つの「ともいき」を融合し、他の国々も巻き込みながら、地球全体としての「ともいき」を目指していくべきであると私は考えている。

超大国アメリカも、ドナルド・トランプ大統領の時代に「アメリカ・ファースト」による自国第一主義、利己的な国家主義を掲げていたが、残念なことに昨今、世界各地で同様の動きが台頭し始めている。中国、ロシア、インド、トルコ、その他の国でも自国第一主義的、保護主義的な動きが目につくようになった。

これまで世界はグローバル化に傾いてきたが、近年は国家主義や保護主義が高まり、大きな揺り戻しが起こっている。自国第一主義は、一時的に経済的な恩恵をもたらすかもしれないが、それは長続きしない。むしろ、対立や分断を生み出し、巡り巡って自国の政治や経済の混乱を生み出し、世界を荒らすのである。

世界が良くなる道は「ともいき」以外にありえない。分断ではなく、協調と協力、共存共栄をもたらす「ともいき」の世界が実現できれば、争いが減り、合計二兆ドルとも言われる世界各国の年間軍事費を半分以下にすることもできるだろう。

また、今のように戦争など社会課題に無力な国連ではなく、問題を着実に解決に導くことのできる有能な国際組織も必要だ。軍事費削減によって浮いたお金を地球環境の改善やエネルギー政策、食糧・福祉問題解決に振り分け、「ともいき」世界のさらなる発展を図っていかなければならない。

## ■軍事費よりも地球環境への投資を

先に「地球資源は全員の共有物」という、ともいき主義の考え方を述べた。この理念に沿えば、盛んに言われる地球環境の問題も、従来とは違った視点で考えることができるだろう。地球は読者自身、つまり、あなたにとっての「自分のもの」でもあるからだ。誰だって、自分が大事にしているものを勝手に汚されたり、壊されたりすれば怒るだろう。そうした視点を持ちながら、これからの地球環境問題を考えてほしい。

二〇二〇年秋のアメリカ大統領選で、民主党候補のジョー・バイデン前副大統領は、地球温暖化に関する政策目標を発表し、脱炭素社会を実現するために、環境関連のインフラ投資に四年間で二兆ドルを投じると表明した。そして二〇三五年までに、電力部門の二酸化炭素排出量ゼロを目指すとも付け加えた。環境保全への積極的な取り組みについてアピールしたのである。中国に次ぐ世界第二位の$CO_2$排出国であるアメリカだけに、そうした宣言も当然かと思う。

だが、この二兆ドルという莫大な投資額は、世界各国の年間軍事費の合計とほぼ同程度の金額である。もちろん、アメリカの環境投資額二兆ドルは四年間の合計であるが、同国の軍事費は年間約八〇〇〇億ドルと増額を続けている。

これは、ようやく世界の先進国が地球環境保全に本腰を入れ始めた表れと言えるかもしれない。$CO_2$排出においてトップの国々が地球環境問題を「自分事」と思って目を向けていくことから、「ともいき」の考え方は少しずつ浸透していくと思う。従来の資本主義の延長で自国の利益のみを最大化させるのではなく、「共に栄える」「共に生きる」「共に価値を上げていく」という思いと行動を共有することで、希望に満ちた未来を一緒につくり上げていきたい。

何もせず、ただじっと待っていても、未来は決して変わらない。今を生きる私たちが変わることで、選択が変わり、明日の行動も変わる。その小さな一歩が日本と世界を変えていく最初の一歩になることだろう。地球環境保全への投資は、軍事費よりも価値がある。地球環境は私たちの住まいであり、生命の源だからだ。

二〇二二年秋、アメリカのパタゴニア社の創業者イボン・シュイナードが、同社の全株を環境NPOなどに寄付したというニュースが報じられた。彼は「地球は私たちの唯一の株主だからだ」と語っている。地球環境への投資がいかに大切かを彼は知っているのだ。

## ■日本人と自然の「ともいき」

地球環境を大切にするという点では、日本人の自然に対する「ともいき」精神も際立っている。

日本神道では、自然崇拝を通して自然との「ともいき」をなしてきた。神社の周囲には「鎮守の杜《もり》」がある。神社の近隣には、必ず清らかな水の流れる川や海があり、そこで禊《みそぎ》をなした。日本仏教でも「山川草木悉皆《しっかい》成仏」といい、自然界全てに仏性《ぶっしょう》が宿ると考え、自然と共に生きた。

日本人は幼い頃からこうした考えに慣れ親しんできたから、常に自然との「ともいき」を大切にする心を持っている。山から木を切り出せば、必ず苗木を植えて「はげ山」にならないようにした。はげ山になれば、大雨が降った時に土砂が流れ出し、田畑がやられてしまうからだ。また、木が減れば生命の循環が損なわれ、山々からの恩恵を得られなくなる。先人の経験から自然の優しさと厳しさを学び、自然との共生について考えてきた日本人は古来、自然との「ともいき」を実践していたのである。

ところが、他国ではそうではなかった。かつて朝鮮半島の人々は、燃料として山から木を切り出した後、苗木を植えなかった。大雨が降れば、山から大量の土砂が流れ出し、田畑が潰れ、人々は毎年のように大規模な飢饉に襲われた。その後、日本が日韓併合を通して統治した時代に、日本人は朝鮮半島の人々に山林管理の大切さを伝え、山の木々を増やすことに努めた。こうして状況は改善されていった。

一方、かつて中国では共産党の毛沢東主席が、自然と共に生きず、自然を相手に喧嘩をしかけて、大失敗したことがある。「スズメ全滅作戦」を実施したのだ。スズメは穀物を食べるから農業の敵だとし、一億羽も殺してしまった。その結果、イナゴが大発生し、あらゆる作物を食い荒らした。大飢饉が起こった中国では、一五〇〇万から三〇〇〇万人とも言われる死者が出たという。

日本を代表する哲学者・梅原猛の『共生と循環の哲学』（小学館）によると、古代メソポタミアには森を破壊することで文明は贖《あがな》われるという考えがあった。そのため、森は次々に破壊されたというが、これが彼の地の文明を滅ぼす原因になったという。その意味で、自然と共に生きる日本人の「ともいき」は、文明存続の観点からも非常に重要なものだろう。梅原氏は次のように述べている。

「もう一度、共生と循環という哲学を、人類は取り戻さなければならない。もちろん人間にとって進歩は必要です。ですから科学技術を、共生と循環という哲学のもとに共存させていく」

この「科学技術を、共生と循環という哲学のもとに共存させていく」ことこそ、これからの世界に必要なことだ。私自身も、科学技術という手段を「ともいき」という目的のために最大限活用することが、地球の環境や人類を豊かにしていくと考えている。私が様々な革新的技術を探し求め、それを「破壊」ではなく人類の「ともいき」のために活用しようとしているのも、そのためである。

## ■「ともいき」発想で科学技術を生かす

科学技術という点では、日本の停滞が久しく問題となっている。

科学技術・学術政策研究所が発表した「科学技術指標2021」によると、企業・大学・研究機関を合わせた研究開発費の総額（二〇一九年）は、第一位がアメリカの六八兆円、第二位が中国の五四・五兆円、第三位の日本が一八兆円と、米中に大きく水をあけられている。革新的技術が生かされる産業においても、ＩＴや電気自動車といった先端分野は米中をはじめ海外企業が市場を占有している。

岸田政権は成長戦略の一つとして「科学技術立国」を掲げ、二〇二二年度からの五年間で三〇兆円を研究開発投資目標としているが、過去の政策実績から考えれば、どれほどの効果を得られるのかは未知数だろう。

社会課題の解決や「ともいき」社会の実現には革新的技術の活用が欠かせないが、研究開発の足元が覚束《おぼつか》なければ活用のしようもない。今後は国の後押しだけでなく、さらなる産学官の連携、特に民間企業の後押しも重要になる。私自身もこれまで様々な研究開発を支援してきたが、その強度をより高めていく必要性を感じている。

たとえば昨今、我が国では膨大な量の「食品ロス」が問題となっている。年間五二二万トンもの「まだ食べられる食品」が賞味期限切れなどを理由に廃棄されている。また、形が悪いというだけで廃棄される野菜や果物も多い。これは他の先進国も同様で、社会問題となっている。二一世紀でありながら、いまだ食糧難にあえいでいる国も少なくない中、これは実に「もったいない」ことだ。

第三章で紹介した、世界一の熱伝導率を誇るマイナス一℃~マイナス一二〇℃の低温・凍結技術は、解凍時に食品の細胞膜を壊さず（ドリップが出ない）に新鮮な状態で保存・流通させることができる。そのため、これまで品質的に冷凍保存が難しかった高級イチゴなどの果物にも応用でき、窒素の氷を入れて真空状態で冷凍保存すれば、遠方の場合は航空便の輸送に限られていた野菜や果物、肉類や魚介類などの生鮮食品も、日数のかかる船便のコンテナで輸送できるようになる。この技術は食品ロスの解決につながるだけでなく、鮮度や美味しさの保持という面でも流通革命を起こす革新的な技術となる。

ＳＤＧｓが示す一七のゴールが象徴するように、世界は食糧問題だけでなく、貧困、気候変動、自然災害、感染症、大気や土壌の汚染、海洋プラスチックごみ、森林破壊、極地の氷の融解、資源枯渇など数多くの問題を抱えている。そのためにも、革新的技術の研究開発を促進し、その成果を「ともいき」のために活用するという考えで国造りを進めていくことが大切だ。

資源を持たない日本は戦後、技術立国として急成長を遂げてきた。特に公害問題を通じて廃棄物処理、水質改善などで画期的な環境技術を開発し、その分野で世界に貢献してきた。今も日本では、大学や企業、研究機関が連携して革新的技術に関する研究を行っており、無限の可能性を持った技術が次々と生み出されている。

たとえば近年、廃棄物や未利用資源を資源として利用するための「亜臨界水処理」技術がさらに進化し、水で分解するのではなく水蒸気で分解する「高温高圧水蒸気分解処理」技術、ＯＲＰ（有機再生プラント）が注目されている。この技術は私が事業展開しており、手前味噌で恐縮だが、生ごみ、汚泥、糞尿、廃プラスチックなどを無害化する技術だ。焼却ではなく「分解」するので、再資源化が可能である。現在はマレーシアと国策で、パームオイル生産後の伐採した樹木（産業廃棄物）を牛の餌（飼料）に再生するプロジェクトを推進中で、ごみ捨ての悪循環ではなく、持続可能な良い循環への転換を図っている。そこにあるのはもはやごみではなく、資源なのだ。

原子力発電は想定外の事故が起こると悲惨な結果をもたらす一方、再生可能エネルギーとしては、日本は火山国であるのに「地熱発電」がほとんど活用されていない。地熱貯留層の割れ目を探すのにコストがかかることが一つの理由だが、アイスランドのように地熱発電を多方面で利用する国もあるのだから、それらを参考にして技術開発を進め、問題をクリアしていく必要があるのではないか。

また、特殊な色素を使い、窓ガラスを全て透明な太陽光発電板にする新技術が生み出されている。薄くて軽くて曲がる太陽光発電板も現れている。海上に浮かべて波の力で発電するロー・コストな波力発電板もある。

大規模な発電施設では、ウラン等の核物質による核分裂技術の原発ではなく、海水中の重水素やリチウムによる核融合の技術として、より経済的で安全な核融合発電技術も開発が進んでいる（五〇kW級のJT―60SAの原型炉は二〇三五年頃に建設される予定。今世紀半ばには全国で電力を賄っていける見込み）。

また、化石燃料である石油は環境問題化しているが、水と空気中の$CO_2$で人工的に石油（軽油・灯油・A重油）を生産するプラント技術（吸収した$CO_2$を排出するので環境負荷はゼロ）も開発に成功しており、これまた手前味噌であるが、開発者とともに合弁企業を興してハウス農業、畜産、水産、船舶など、比較的、軋轢を生じさせない産業分野への事業展開を推進している。この人工石油、$NO_X$（窒素酸化物）はほとんど出ないばかりか、一リットルあたりのコストが一〇～一四円という破格だから驚きだ。

ＩＴでは海外に後れをとっているが、日本には優れた技術が数多く眠っており、全国の中小企業にも「ウチの製品は世界でトップシェア」という隠れた世界的企業がたくさんある。熟練技術の継承や人手不足といった課題はあるが、それもまたＡＩやＩｏＴといった技術で乗り越えられるだろう。

人にも環境にもやさしい技術を開発して世界に貢献したい――。そう考えている人々は世界中にいる。多くの革新的技術に光を当てることで、「ともいき」社会実現のために働く人や企業が数多く現れてほしい。私たちの共生バンクグループも、そうした人や企業を全力で応援していきたいと考えている。

## ■「ともいき」をもたらす政策

言うまでもなく、政治家や政策の質によって国の未来は大きく変わる。最たる例が、アラブ首長国連邦の大都市ドバイであろう。

連邦を構成する首長国の一つであるドバイは、その昔、遊牧民ベドウィンが暮らす広大な砂漠と天然真珠が観光資源という、小さな港街だった。しかし、一九六〇年代末に小規模な油田が発見されて以降、都市開発に乗り出し、わずか半世紀のうちに世界有数の近未来都市へと劇的な変化を遂げた。これを主導したのが、政治家として優れた手腕を発揮したドバイの首長シェイク・モハメドだった。

ドバイはアジア、ヨーロッパ、アメリカ、アフリカを結ぶ中心にあり、各地を結ぶ航空機の中継地点（ハブ空港）として最適な場所だった。こうした地の利を生かし、ドバイ国際空港の拡充を進め、大胆にも航空機の空港利用料を無料とし、乗り入れ拡大を図った。また、大規模な港湾開発を進めるなどインフラ整備にも努め、それらの近隣に関税や法人税などが免除となる自由経済特区を設け、海外企業の誘致を積極的に推し進めた。

実は、これらの政策は石油資源が枯渇した先の未来を見据えてのものだった。ドバイは他の産油地に比べて埋蔵量が少なく、石油に頼り続けるという選択肢はなかった。そこで頼れる資金があるうちに将来の経済・産業基盤を整えるための投資を行ったのだ。

その政策は見事に当たり、今やドバイはグローバル企業が進出する世界有数の経済都市となり、ヒト・モノ・カネ・情報が行き交う一大拠点、金融都市としての顔も持っている。近年はＩＴや医療など最先端の研究者やエンジニアの招致も積極的に進めている。

また、ドバイは観光産業にも投資を惜しまず、世界一の高さを誇る超高層ビル「ブルジュ・ハリファ」、椰子の木をかたどった人工島「パーム・ジュメイラ」をはじめ、一〇〇〇以上の店舗が並ぶ巨大ショッピングモール、七つ星ホテルなど、砂漠の都市とは思えないほどの大発展を遂げている。

ドバイの人口は二〇二一年末時点で三四七万人ほどである。そのうちドバイ人は一割に満たない程度で、残りは全て外国人である。海外から積極的に人や企業を呼び込んできたドバイは、異文化共生の歴史と風土が根づいた都市なのだ。ビジネス、都市計画、技術開発において外国人の知見を積極的に活用した点は、明治期の日本とも重なる部分がある。そうした意味でも、ドバイが劇的な変化を遂げた背景には、「ともいき」政策があったと言えるだろう。

同様のことは、一九六五年に独立を果たしたシンガポールについても言える。

東京二三区ほどしかない小さな国土のシンガポールは、日本以上に資源がなく、あちこちにジャングルがありながら河川に乏しいため農業もできず、貧民窟ばかりの国だった。国民は生きるのもギリギリという状態にあった中、これを近代国家にしたいと知恵を絞ったのが、「シンガポール建国の父」と言われる指導者リー・クアンユーだった。

クアンユーは第一に国民の自立が重要と考え、住宅地の開発を進めた。シンガポールは過去三百年以上、地震に襲われておらず、台風の通り道でもなかった。ならば、高層建築を安いコストで建てられると考えた彼は、公営の高層住宅を次々と建て、貧民窟の住人を移住させた。そして、「頑張って一定の家賃を払えば、家は自分のものになる」と提案したことで、彼らは一生懸命働き、家賃を払おうとした。

ところが、当時のシンガポールには働き口が少なかった。そこでクアンユーは「ともいき」政策の一環として世界中の企業に呼びかけた。土地代、関税、法人税はほぼ免除、世界のどこに立地するよりもビジネスに有利であると。その結果、松下電器（当時）やソニー、フィリップスなど、ものづくり産業を中心に多数の外資系企業がやってきた。国民は懸命に働き、その給料で高層住宅を我が家とし、生活を安定させていった。

その後、シンガポールの人々が目をつけたのが金融業界だった。彼らは非常に良い条件で市場を開放したことで、世界の主要な銀行や証券会社の投資を呼び込んだ。これも小国ならではの、世界とつながる「ともいき」政策の一環だった。特に欧米の諸機関が巨大投資を行ったことで、シンガポールは急速に先進国並みの所得水準に達し、今では観光産業でも有名になり、一人当たりＧＤＰでは日本を追い抜いている。

シンガポールの人口は二〇二二年九月末時点で約五六三万人、うち三割が外国人永住者や出稼ぎなどの定住者だ。国民のうち七割が中華系で、マレー系とインド系が一割ずつという多民族国家でもある。資源を持たず、農作物もつくれないため、クアンユーは「人」が資源だと考え、語学を中心とした教育に注力し、国民の成長を後押しした。

また、多民族国家ゆえに相互理解と協力がなければ国の発展はないと考え、差別を厳しく取り締まり、多様性を認め合う社会の構築にも努めた。そのため、国民は子どもの頃から宗教や文化の違いを超えて協力する「ともいき」の中で成長することになる。

このように、国造りや経済の政策で「ともいき」を推し進めることで国力を高めてきたことが、シンガポールの発展を支える原動力となった。

また、中国・広東省にある深圳《しんせん》市も、かつては地方の一集落にすぎなかったが、経済特区に指定され、大発展を遂げた。共産主義・中国の支配下にありながら世界経済の中枢を担い、これほどの大発展を遂げたのは驚異的なことだ。

そこは香港の隣接地であり、ドバイやシンガポールと同様、移民都市である。鄧小平《とうしょうへい》以後、中国を社会主義経済から資本主義経済にする「改革開放」路線の中、外部から労働人口が流入し、巨大都市になった。

中国が経済発展を遂げた二〇〇〇年代以降、深圳市は一大工業地帯として「世界の工場」の中心地となった。現在は世界中から研究者やエンジニアが集い、ＩＴ、バイオ、新エネルギー、金融など様々な分野のベンチャー、スタートアップが混在し、シリコンバレーと並ぶ世界有数のイノベーション都市となっている。深圳市には超高層ビルが林立し、富裕層も多く暮らしている。近年は旅行雑誌「ロンリー・プラネット」で世界の旅行先でトップテン入りも果たすなど、観光都市としての顔も有するようになった。

それぞれ時代や状況は現在の日本とは異なるかもしれないが、政治家や政策のアイデアと力量次第で、国は発展し、没落もするのだ。日本でも経済や教育、医療といった分野ごとに「ともいき」社会の実現に資する高い志と力量を持った政治家を育て、彼らに活躍してもらわなければならない。

## ■先駆者からの警告

クワンユーは二〇一五年、日本についてこう語っていた。

「日本が直面している最も厳しい試練は、人口の問題だ。社会の高齢化が著しく、若い世代が不足している。これは経済問題よりもずっと深刻な問題であり、効果的な解決ができなければ、この国の先行きは非常に暗くなる。

非常に長きにわたり、日本の女性たちは家庭に入り専業主婦として夫を支え、子どもを育ててきた。しかし今や、彼女たちはそのような生き方を望まなくなった。子どもに自分の人生を縛られたくないと考えるようになり、結婚しない、あるいは結婚しても子どもをつくらない女性が多くなった。その背景には、子どもを産むと女性のキャリアアップの道が閉ざされるという、日本の社会制度の問題もある。そしてまた、日本は移民を排斥することでも、名が知られている。外国からの移民を受け入れて低出生問題を解決しようという議論を公に持ち出す人は、そもそもこの国にはいない。

もし日本が今の状況を一〇年、一五年経っても解決できないならば、日本は不可逆的な衰退を始める可能性がある。国内の消費は一〇年以内に萎縮するだろう。日本はすでに第三の『失われた一〇年』に入った。もし日本人に人口問題を果敢に解決する眼光や決心がないなら、かつての経済成長の再現を求めてはいけない」

国が真剣に「ともいき」政策に目覚めなければ、日本の未来はないという警告である。この警告は的を射たものであり、日本の政治家は真剣に受け止めるべきだ。

近年、日本では科学者の海外流出も問題になっている。日本は科学研究予算が少なく、大学や研究機関では〝丁稚奉公〟時代が長く、自分の研究室が持てないことなどから、見切りをつけて中国やアメリカへ渡る科学者が多いという。頭脳と技術の流出である。旧態依然とした政策では、日本の国力は下がる一方だろう。彼らの海外流出を止める、という対症療法的な発想では足りない。彼らが存分に能力を発揮できるよう、待遇や設備などを整えることで、日本人だけでなく海外の研究者も「日本でこそ研究したい！」といって集まってくるような国にしていくことが大切である。

## ■求められる政治・経済のビッグバン

大切なのは、政治家の志や政策の内容次第で、国は大きく変わるということである。たとえ小さな都市国家でも、経済特区でも、「ともいき」政策の成功例をつくれば、それを全体に拡大していくことが可能だ。一時金をばらまくような小手先の政策ではなく、長期的な視点に立って国の行く末を考え、本当に必要な政策を打ち出してほしい。

日本には約二〇〇〇兆円もの個人金融資産があり、そのうち約一〇〇〇兆円もの現金、すなわちタンス預金が眠ったままである。なぜ、それらを「ともいき」社会確立のために役立てられるような政策を打たないのだろうか。

振り返れば一九九〇年代後半、「日本版ビッグバン」として大胆な金融システム改革が進められたことがある。バブル崩壊後の経済低迷期にあった当時、国内にあった一二〇〇兆円にも上る個人金融資産をより有効に運用するべく、市場の自由化や投資等の活性化を通じて成長産業に資金供給していくことが重要と考えられたからだ。しかし、その資金はいまだ有効活用されているとは言い難い。

一方、世界をみれば、ドバイでもシンガポールでも深圳市でも資金が有効活用され、国や都市の発展によって莫大なキャピタルゲイン（売買差益）を生み出している。もともと、タダ同然だった土地が、開発によって何千倍以上の価値を持つようになったのだ。その開発に投資していた人々は巨大な恩恵を受けていることだろう。

政治家の志、アイデアや力量次第で、日本人の収入を幾倍にも増やし、それによって日本を発展させ、世界のより良い未来づくりに貢献することは可能なのである。これまでの政治は、リスクを極力避けるため、前例踏襲がまかり通ってきた。しかし、リスクを許容し、新たな挑戦に取り組まなければ、国の発展は望めない。

日本には特別な経済都市はまだ存在していない。政府がそのような特別区、特別都市をつくっても良いのではないか。そこを世界とつながるための「ともいき」の場とすれば、国家主導の都市開発による「ミラクルマネー」創出の最初の事例となるだろう。成功の前例があれば、日本全体に拡大していくことも可能になり、経済のビッグバンを引き起こすことができる。

当然、規制や税制の見直しも必要になる。ドバイでもシンガポールでも深圳市でも、成功の理由はビジネスしやすい環境づくりにあった。世界の多くの人や企業が、そこでビジネスをしたいと思う場にしたのだ。環境づくりの方向性を決める際に大切なのは、日本や世界の人や企業を巻き込み、全てをともいき主義に則って判断し、決断していくことだ。

また、「ともいき」政策にはオーナーシップを喚起する仕掛けとして、一般の人々を巻き込む施策を組み込むことも大切になる。たとえば、街づくりや都市開発に対して少額からでも投資ができ、継続的に恩恵が受けられる仕組みがあれば、政策推進に対する参画意識や「国主」としての意識が芽生え、タンス預金からでも出資したくなるのではないか。

政府や官僚といった中央集権型で政策を決定することは、もはや時代錯誤になりつつある。今後は北欧諸国のように一般の人々を国造りに巻き込み、お金の使途を一緒に考え、得られた利益を分配する「ともいき」政治を目指さなければならない。そのような社会になれば、高福祉国家への道を歩むことも可能となり、「結婚して家庭をつくりたい」「子どもを産み育てたい」という気持ちも大きくなり、出生率も上がってくるだろう。

それはまた、「日本で暮らしたい」「日本で働きたい」といった多くの移民をも呼び寄せるに違いない。シンガポールのように多文化共生策をとるなら、多様性の中で人々は刺激され、多くの技術革新が生まれ、経済はさらに発展するだろう。

今、国の借金は一二〇〇兆円もあり、先進国の中で最悪の水準だ。それは確実に、未来の世代にとって重い負担となる。しかし、「ともいき」政策が軌道に乗れば、借金を全額返済し、さらに余りが出るだろう。

これは決して絵空事ではない。私は二五歳の頃、人の失敗をかぶり、三億円の借金を背負った中で会社を起業した経験がある。ゼロからのスタートどころか、マイナスからのスタートだった。

それは大変な重荷だったが、「ともいき」精神で事業に取り組み、順調に業績を伸ばしたことで、わずか五年間で全額を返済し、さらに五億円ほどの資産を築くことができた。もちろん、規模は違うが、国においても正しい方法を選択すれば、同じことが可能だと私は信じている。ポスト資本主義、ともいき主義の国造りを目指す時、そこには明るい未来が開けてくるのだ。

国を発展させるには、衰退産業から成長産業への転換が素早く行えるシステムや、新産業の起業を応援し支えるシステムが必要だ。業態転換や起業のリスクとコストを、国全体で分かち合うのである。

ビジネス界では常に、時代の変化に対応することが求められ、変化できない企業は市場からの退場を余儀なくされる。この新陳代謝によって経済は発展していくため、新陳代謝をスムーズに行える環境づくりが必要である。

一方で、一度失敗したら再起できない、退場を余儀なくされたら二度と戻れないといった環境では、誰も新しいことに挑戦したいとは思わないだろう。現在は再起へのハードルが高いため、一度の失敗で諦めてしまう人や企業が多い。また、再起が難しい環境があるために、社会に高付加価値をもたらす新ビジネスが出てきた時、既存企業は自社の顧客やシェアを奪われないようにそれを潰しにかかることがある。これでは新陳代謝が起こらず、経済も停滞してしまう。

だからこそ、「変化に対応できない企業は潰れればいい」という考えではなく、業態転換などで再出発を図る企業には国からの補助や保障があってもいいはずだ。国が資金や設備などを一定期間補助するなど、新陳代謝につながる政策的な支援を行う必要がある。それがより良い形での新陳代謝を促し、高質再生産、高効率濃密社会の形成につながり、ひいては国を発展させるのである。

## ■「ともいき国」の建設

日本人は今、日本の政治界の変革を望んでいる。私自身もそれを強く願い、実現に向けて「共生党」を商標登録しているほどだ。

私は事業家である一方、これまで政治運動にも多く関わってきた経験がある。「国を良くする」という共通理念で集まった超党派議員による「国家経営志士議員連盟」の運営に尽力するなど、様々な行動を伴いながら今日に至っている。こうしたことを通して感じたのは、国の政治が変わるには時間がかかるということだ。

日本の政治は長らく硬直化したままだ。先日、子育て支援策について「国がやらないから仕方なく市でやっている」という兵庫県明石市の泉房穂《いずみふさほ》市長の発言があった。事実、国の判断を待っていては事が前に進まないことが多い。不動産開発に携わる私もそれを日々実感している。規制が多すぎるだけでなく、現在の社会状況に合わない規則やルールもたくさんある。

今すぐに解決すべき問題に対しては、国の動きを待たずに自治体、企業、個人が率先して解決を図ることも必要だ。目にみえる行動を起こせば、「あなたに投資したい」「一緒にやりたい」という支援者が必ず現れてくる。目にみえる成果を出せば、国の重い腰を上げさせることもできる。世界はそのような人や企業を待っているからである。

私も硬直化した政治に風穴を開けるために、ある構想を抱いている。

私はこれまで日本各地に「ともいき」の街や未来シティ等の開発を推進してきたが、これをさらに進めて、実はどこかに「ともいき国」を建国しようと考えている。これは単なる街ではなく、「実際の国家」である。

驚く人もいると思うが、一八六七年、アメリカはロシア帝国からアラスカを七二〇万ドルで買っている。同じように、どこかの国の土地を売ってもらうか、租借地や定期借地権といった形で土地を手に入れ、そこに世界中から志ある人々を呼び込み、「ともいき」に基づいた政治・経済・教育を行う国を造るという計画である。

人や資本を呼び込めるだけの魅力的な国になれば、大きく発展することは十分可能だ。ミニ国家の代表格であるモナコやサンマリノは、小さいながらも立派に繁栄している。大切なのは面積ではなく中身である。私が構想する「ともいき国」も、そこに移住した人々には「ともいき」を通じた豊かさと幸福を提供し、土地を譲ってくれた国や周辺諸国にも様々な恩恵をもたらしたいと考えている。

この「ともいき国」については、拙著『共生主義』（白秋社）で詳しく述べているので、ぜひ一読いただければ幸いである。

## ■日本の慈善福祉の伝統

「ともいき」社会では、弱き者、社会から疎外された者、病にある者も等しく支えられ、恩恵を受けることができる、ということを念頭に置いて政策を考えていく。

日本は、慈善と福祉においても優れた伝統を持つ国である。たとえば、聖徳太子（厩戸皇子）は、「四箇院《しこいん》」と呼ばれる慈善、福祉、医療、学芸の施設をつくった。

・悲田院（身寄りのない人の保護施設）
・療病院（無料の病院）
・施薬院（無料の薬局）
・敬田院（学芸施設）

これら「ともいき」に通じる事業は仏教思想でなされたものと説明されているが、実際には中国でも朝鮮半島でも日本でも、当時の仏教は国家に尽くす国家鎮護の仏教であり、庶民に慈善や福祉を行うようなものではなかった。

なぜ、これらの事業が行われたのかといえば、聖徳太子が景教徒（ネストリウス派キリスト教徒）の影響を受けていたからだ、との説がある。京都大学の池田栄教授（景教研究者）によれば、聖徳太子の近傍には景教徒がいたという。景教徒は、シルクロード各地で慈善、福祉、医療、学芸の施設、つまり四箇院を運営しながら聖書を教えていた古代東方キリスト教徒である。景教徒も聖徳太子も「ともいき」の人と言うことができるだろう。

その後、聖武《しょうむ》天皇の后であった光明《こうみょう》皇后も、聖徳太子を慕って同様の慈善福祉施設を設けている。また、皇后の身でありながら、ナイチンゲールやマザー・テレサのように、民衆の中に入って彼らのために尽くした。

鎌倉時代以降になると、仏教の日本化、庶民化が進み、慈善福祉活動を行う仏教僧も多く現れた。西大寺の僧であった叡尊《えいぞん》は、賤視されつつあった人々の救済に生涯を通じて尽力した。律宗《りつしゅう》の忍性《にんしょう》は医療施設を鎌倉の極楽坂に設置し、社会から疎外されたハンセン病患者など多くの病人の看護に努めた。

室町中期に勧進聖《かんじんひじり》として活躍した時宗《じしゅう》の願阿弥《がんあみ》は、応仁の乱前後に大飢饉が日本全国を襲った際、室町将軍・足利義政の意を受け、京都を拠点として積極的な窮民救済活動を展開している。これら諸僧の他にも、社会福祉事業に大なり小なり尽くす仏教僧が、中世日本には多数存在した。

また、大正天皇の后であった貞明《ていめい》皇后（昭和天皇の母）は、ハンセン病予防などの救済事業や福祉事業に尽力している。

民間でも、キリスト教思想で孤児院をつくった石井十次、結核患者の病舎を興した長谷川保、「貧民街の聖者」と呼ばれた賀川豊彦、韓国で孤児を養い「韓国孤児の母」と呼ばれた田内千鶴子など、慈善福祉の事例は古代から現代に至るまで数知れない。これは、昔から日本にともいき主義が脈々と息づいていたことを示している。

こうした慈善福祉事業は、単に深い人間愛だけでなく、それを継続できるだけの経済的な支えが必要である。「ともいき」社会においては個人や一部の人々の自己犠牲に頼らず、慈善福祉事業の永続的な運営を支えられるだけの豊かな経済力を身につけなければならない。それでこそ、ともいき主義は社会に浸透していく。

日本では今、老老介護や介護疲れによる殺人、高齢者の孤独死などが問題となっており、現状の社会システムでは高齢者をしっかりと支えることが難しくなっている。北欧の高福祉国家では、そのような問題はほぼみられない。老人も最期まで生き生きと暮らせるように工夫されている。日本も「ともいき」を通じて、最期の日を迎えるまで高齢者が生き生きと暮らせるようにすべきだ。

慈善福祉事業に尽くしてきた人々の伝統を受け継ぎ、現代を生きる私たちもその精神を復活させ、政治を中心として「ともいき」社会の実現を推し進めていくべきである。

北欧諸国では、人々の政治への信頼度も高いという。それは民衆の立場に立った「ともいき」政治家が多いからである。日本でも「ともいき」政治を掲げ、それを適切に実行していく政治家が現れたなら、政治界に対する信頼も大きく回復することと思う。

## ■国造りの基礎は「ともいき」教育

旧態依然とした政治を変えるためには、未来を生きる子どもや若い世代の力が必要になる。その力を育んでいくのが「ともいき」教育である。教育は政治や経済と並んで、社会を支える重要な土台となるものだ。

近年は学校教育の様々な場面でコンピュータやインターネットと結びついた教育が行われている。学び方が変化する中でも、全ての基本は「ともいき」についてしっかり学ぶことにあると、誰もが認識すべきである。

これまで日本の学校で行われてきた知識の詰め込み教育では、主体的に物事を考え、力強く人生を切り拓いていける人物は育たないのではないかと、私は感じている。もっと子どもたち自身に考えさせ、発言させ、先生と子どもが「共に生き、共に成長していく」ような教育現場が必要だ。

基礎教育を通して問題解決の基本プロセスを学ぶことは大切だが、実際に人が生きていく上で解決しなければならない問題は、「唯一の答え」がない場合が多い。立場や条件によって正解が変わることさえある。一人ひとり考え方が違うため、理性を持った大人でも対立が起こることがある。

全体最適につながるより良い答えを導き出すためには、様々な人の立場や考え方、意見など複雑に絡み合った要素を把握した上で、安易に妥協したり多数決で決めたりするのではなく、自らの感情をコントロールし、他者の考えを尊重しながら対話を重ね、対立を乗り越えて合意形成を図っていくことが大切になる。

また、一般的に学校は閉鎖的な空間であり、「和を乱さない」ことが重視されるが、あまりにも横並びがすぎるのではないか。育ってきた背景、個性や体の特徴、できる・できないという成長の過程は一人ひとり異なるはずなのに、なぜか一つの尺度で全ての良し悪しが判断されてしまうことも、甚だ疑問に思う。差別や妬み、蔑《さげす》み、失敗を恐れる気持ち、エリートと落ちこぼれといった感覚が生まれる原因も、こうしたところにあるのではないだろうか。「出る杭は打たれる」「失敗が許されない」といった状況は、子どもたちの成長や挑戦意欲、自由な発想を阻害する最たる要因となる。

そのため、「心理的安全性」をしっかりと担保し、色々なことに挑戦できる環境、失敗しても再出発できる環境をつくることも重要になるだろう。実社会で役立つ議論の仕方、物事の捉え方、考え方のコツ、すなわち「生きる力」を教えるのが教育の基本である。それが身につけられれば、知識は後からついてくる。

明治維新を主導する逸材を多数輩出した吉田松陰の松下村塾は、そのような学びの場だった。松下村塾では、伊藤博文、山県有朋、高杉晋作、その他多くの塾生が学び、木戸孝允《きどたかよし》（桂小五郎）、乃木希典《のぎまれすけ》も間接的にその影響を受けている。そこは、一方的に師匠が弟子に教えるのではなく、松蔭が弟子と一緒に意見を交わし、文学だけでなく登山や水泳なども行うという「生きた学問」の場だった。

塾生同士は、それぞれ得意な分野で先生になり、教え子になることもあった。対立を恐れない激しい議論も活発に行われていたが、誰もが相手を尊重して話に耳を傾ける姿勢を忘れなかったため、合意形成も上手に図られていた。

また、江戸時代に石田梅岩が自宅で開いていた講座も、生徒と意見を交わしながら進めていくゼミナール形式だった。これも「ともいき」教育だったと言えるだろう。

薩摩藩では、「郷中《ごじゅう》」教育が行われていた。これは先生から学んだことを、先輩が後輩に教え、その後輩も次の後輩に教えていくというシステムである。生徒は、単に受け身ではなく、自ら先生となって後輩を教える務めを負うため、教えられる際も真剣度が高くなるなど、理解度と責任感が全く違った。

郷中教育は一つの小さな教室から始まったが、細胞分裂のように広がり、数多くの教室が設けられていった。このシステムにより、薩摩藩は心身共に強い武士の育成に成功し、幕末には西郷隆盛をはじめ、強い影響力を持つ志士を生み出していった。

今の学校教育には、このような「ともいき」教育が欠けているのではないだろうか。「ともいき」のないところには、先生の愛情も子どもの愛情も育たない。双方の関係が希薄だと、言うことを聞かず、小さな問題を起こす子どもが増え、やがては学級運営に支障をきたすとして教育の場から外されてしまうケースが多い。何かの分野で伸びる可能性を持っていても、学びの場と成長の機会が奪われてしまうのだ。

今後の日本に必要なのは、先生と子どもが共に生き、先輩が後輩と共に学ぶという「ともいき」教育である。ここで学んだ「ともいき」の感覚は、彼らの人生に決定的な影響を与えていくだろう。

西洋哲学の基礎を築いたギリシャの哲人ソクラテスも、弟子たちと「ともいき」に根ざした対話を日常的に行い、その中で考えを止揚させ、自身の哲学を発展させていた。疑問に思うことがあれば、道行く人にも構わず質問していたという。学びに対する謙虚かつ貪欲な姿勢を通じて、プラトンをはじめ、多くの優れた弟子たちを育成していった。

イエス・キリストは、一二人の弟子と寝食を共にし、彼らと「ともいき」を実践しながら、十字架の死までの三年半の間、弟子たちの育成に努めている。その教育は、一方的に教えを垂れるものではなく、弟子に考えさせ、発言させた上で教えを説くものだった。そうやって訓練された一二人の弟子たちは、のちに世界を変えていった。

釈迦も、十大弟子をはじめ、多くの弟子と寝食を共にし、「ともいき」を通して教えを広めている。それによって仏法を信じる一大勢力が築かれていった。

いつの時代にも、真に多大な影響を与えうるものは「ともいき」教育である。人は親や先生、先輩の背中をみて育つ。率先して優れた手本を見せ、共に生き、陰日向なく全てを見せながら、魅力的に模範を示していく人が真の教育者と言えるのだ。

## ■北欧の「ともいき」教育

ＯＥＣＤ（経済協力開発機構）の学習到達度調査などをみると、世界の教育の中で北欧フィンランドの教育は読解力、数学的リテラシー、科学的リテラシー、その他において常にトップレベルにある。

その秘密は、ベラルーシ出身の心理学者レフ・ヴィゴツキーが提唱した社会構成主義にあるという。これは、先生が生徒と共に生きることで、生徒自身がやがて社会に出た時に必要となる知識や情報を自ら収集し、判断できる能力を養う教育である。子どもの頃から学んだ知識や情報を自分なりに再構築、編成して消化し、発信し、それを他人との関わりにどう生かすかを考えさせることがその目的となる。

そのため、フィンランドの教室では先生から「なぜ?」という問いが数多く投げかけられる。現在の日本のように、学習指導要領に基づいた「正解」を用意するわけではない。生徒を社会問題などに向き合わせ、それについて自分の頭で考えさせ、解決に必要な情報を見つけるように促し、最後は「自分はどう考えるか、なぜそう考えたのか」を具体的に説明させる。また、それらを使って生徒同士で議論や対話をさせる。先生は正解を押し付けるのではなく、考え方や調べ方、議論の仕方をサポートする役目となる。

生徒は自主的に調べ、考えつつ、他者と共にどう生きるか、これからの社会に何が必要か、その中で自分は何をすべきか、という思考を身につけていく。こうした教育を通してオーナーシップが育まれ、社会への参加意識や起業率の高い社会が生まれている。

一方、スウェーデンでは「ともいき」の人間教育として、いじめや差別が起こらないように、小さい時から生徒同士を平等に扱う学習プログラム（リーカベハンドリングス）の実施を義務づけている。日本の学校では長い間いじめが教育課題となっており、近年はS

NSなど大人にはみえづらい場所でのいじめも増え、不登校や自殺が社会問題となっている。それを思えば、この学習プログラムは参考になるのではないだろうか。

　この学習プログラムでは、性別、年齢、人種、障がい、見た目、性格、能力などで人を差別しないことを幼少時から計画的に学んでいく。移民や難民を積極的に受け入れ、多文化共生策を採用してきたスウェーデンでは、幼い頃から違いを理解し、相手を尊重する文化が根づいている。これも「ともいき」教育である。

　能力の高い子どもには飛び級制度もある。「出る杭は打たれる」ではなく、優れた子どもは能力をさらに伸ばし、その上で「妬み」を抱かせない文化が浸透している。反対に、落ちこぼれをなくし、救う仕組みも充実している。能力の違いで人を妬んだり、蔑んだりするのではなく、徹底して一人ひとりの個性や進度に合った教育を行い、個々の能力を伸ばす努力が続けられている。これもまた「ともいき」教育である。こうした教育の結果、人口が少ないにもかかわらず、世界大学ランキング一〇〇位以内にスウェーデンの大学が二つもランクインしている。

「ともいき」社会の基盤をつくる教育では、北欧のような教育と共に、教育家・小原國芳《おばらくによし》（玉川学園創立者）が説いたような「全人教育」、すなわち知育・徳育・体育がバランス良く整った教育をしていくべきだろう。

公益財団法人日本財団が二〇二二年十一月に行った第五回自殺意識全国調査（対象：全国の一八～二九歳、インターネット調査）によると、一四五五五人の回答者のうち、死にたいと願い自殺を考える「希死念慮」を経験した人は約半数にあたる四四・八％で増加傾向にあるという。また、その原因の半数は人間関係に起因するものであった。まさに今、教育分野において心を育てる徳育、人間教育が問われていると言えるだろう。

教育には大きく、人間教育とスキル教育がある。スキル教育ばかりでは、生きる力に優れた人間は育たない。より大切なのは人間教育である。しっかりと考えた上で自らの人生を力強く切り拓き、他者との関わりの中で豊かな「ともいき」と、繁栄する人生を築いていける人間を育成することである。

「ともいき」教育で育った人間は強い。能力を一〇〇％発揮できる人物となる。「ともいき」教育が日本の常識となり、広がりと深みをみせていく時、その成果は単に個々人の魅力だけでなく、強い国力としても現れてくることだろう。

## ■多文化共生策のメリットを生かす

ともいき主義においてはまた、民族を超えた連携が大切である。これについて参考になるのは、再びスウェーデンの例であると思う。

スウェーデンは「協同組合の国」と言われるほど「ともいき」活動が盛んだ。数人単位でも協同組合がつくれるため、日本のような協同購買だけでなく、教育や医療・福祉施設、飲食店、農業、住宅供給など、生活を取り巻くあらゆる分野において大小様々な協同組合があり、大半の市民がそれらに加入するなど、連帯と「ともいき」の意識が強い。

前述したように、北欧諸国では幼い頃から教育を通して自ら考え行動する力を育み、地域社会への参画意識も養っている。その上で、必要なものは自分たちで出資してつくり、自分たちで運営する、国や自治体は簡便な制度や助成金などを通してそれを支える、といった仕組みが国の隅々にまで行き渡っており、国や自治体に過度に依存しない「三助（自助・共助・公助）」が社会に根づいている。

もともと国自体が、協同組合を発展させた形でつくられたという経緯もあるが、もし将来、一つの国に限らず、「世界連邦」といった世界国家共同体がつくられるとすれば、それは一部の国や人物が支配するものではなく、協同組合を発展させたような形が望ましいだろう。

スウェーデンは他の北欧諸国同様、高福祉国家として知られている。二〇二二年の幸福度世界ランキングで第七位となっているが、昔から高福祉や高い幸福度を実現していたのかというと、決してそうではない。その昔、北欧はヨーロッパの一部として戦乱の地となっていた。しかし彼らは努力の末、そのような国造りに成功したのだ。

現在、スウェーデンは人口約一〇〇〇万人でありながら、一人当たりGDPは日本より高い。なぜかといえば、イノベーションを次々に打ち出し、多くのグローバル企業を生み出すことで国際競争力を高めてきたからである。

家具業界に革命をもたらしたイケア、ファストファッションのH&M、音楽ストリーミングのスポティファイ、家電製品のエレクトロラックス、通信機器のエリクソン、自動車のボルボ、フィンテック（革新的金融技術）のクラーナなど、その他にも多くのグローバル企業を生み出しており、各社ともイノベーティブな製品・サービスを展開している。また最近、スウェーデン企業が軽量、安価、免許不要、一人乗りの「空飛ぶ車」を売り出して予約が殺到しているという。経済誌「フォーブス」の「ビジネスをするのに最適な国」で第一位に選ばれ、世界のイノベーション・ランキングでも常に上位にある。

イノベーションが生まれる秘密は、民族的にも宗教的にも多種多様で、互いに様々な意見や視点を出し合い、尊重し合う風土が根づいていることにある。スウェーデンは多文化共生策を掲げ、多くの移民や難民を受け入れてきた国であり、外国人にも疎外感を覚えさせない社会になっている。多様性にあふれる環境があっても、分断や断絶があるようでは多様性の良さは発揮されない。そこに「ともいき」が入るからこそ、多様性の良さが十二分に引き出されるのだ。実際に、多様性から生まれたスウェーデン企業の製品やサービスは、国や文化の違いを超えて世界中で活用されているものばかりだ。

スウェーデンは、その多様性と「ともいき」の中からビジネスでも次々と革新的技術や新ビジネスを生み出している。彼らは社会の多様性に「ともいき」を加えることで、それを国の力として昇華したのだ。今後、日本も「ともいき」に根ざした多文化共生策を進めていくならば、それが政治・経済・教育において新しい発想とイノベーションを生み出す推進力となっていくだろう。

現在の日本では、あらゆる業界で海外からやってきた人々が働いている。特別永住者や中長期在留者を合わせた在留外国人の数は、二〇二一年末時点で約二七七万人、日本国籍を取得した人や国際結婚で生まれた子どもも数十万人いるという。ただ、こうした状況にあっても、外国人に対して壁のようなものを感じている人が多いのではないだろうか。

最たる理由は「相手をよく知らない」ことにあると思われる。国の政策として移民や多文化共生策を積極的に打ち出しておらず、日本語の特殊性から言葉が通じないことをはじめ、文化や習慣が異なることもあり、互いの良さよりも「違い」に目が向いてしまい、そのために様々な軋轢《あつれき》や問題が起こることもある。外国人、移民といった言葉にネガティブなイメージを抱く人も多い。一方で、教育の世界では「グローバルで活躍できる人材を育てよう」、ビジネスの世界では「ダイバーシティが大切だ」と言われており、どこか矛盾したものを感じる。

欧米には様々な民族が入り混ざってきた歴史があるが、日本は鎖国時代を含め、長きにわたり単一民族のような形で歴史を刻んできた。しかし、日本人は決して単一民族ではなく、東西南北からやってきた渡来人との「ともいき」集団として発展を遂げてきた民族である。互いを理解し合い、それぞれの知識や経験を持ち寄ることで優れた文化や技術をつくり出し、発展してきたことを考えれば、現代に生きる私たちも「ともいき」を通じて多文化共生策に踏み出すことができるのではないだろうか。

多文化共生策を採用する国は、もともと、同じ民族同士の間でも他者への寛容や違いの尊重、助け合い、いたわり合い、支え合いの風土が強い。その風土が多文化共生策にも適用されている。

こうした国はまた、「人生の選択肢」が豊かである。男だから、女だから、移民だから、障がいがあるから、地方に住んでいるから、お金がないから、あれはできない、これしかできないではなく、やろうとさえ思えば、敷かれたレール以外にも色々なことに挑戦できる環境がある。前向きな失敗は許容され、再挑戦できる環境もある。自分が本当にやりたいことであれば、今までになかった仕事でも周囲は全力で応援してくれる。だから、住みやすい社会になっている。

## ■ともいき主義の社会を実現するために

このように政治、経済、教育、文化、科学の中で、ともいき主義が広く実践されていくならば、社会は豊かになり、一人ひとりが物心両面で豊かさと幸福を享受し、生き生きと暮らせる社会になる。私たちは愛を最大の動機として、自分のできること、得意なことで持てる能力を存分に発揮していくことが大切である。それは未来を切り拓く力となる。

今、私たち日本人に必要なのは、夢、ビジョン、行動力である。人が心に描いたものは事物の本質となり、事物の核となる。それに熱意と行動が加わると、やがて現実世界にその事物がみえる形となって出現するのだ。

聖書の言葉に「信仰とは、望んでいる事がらを確信し、まだみていない事実を確認することである」(ヘブル人への手紙一一章一節)というものがある。すなわち、ともいき主義に基づく社会の実現を強く願い、実現を確信して行動するならば、やがて「まだみていない事実」が目の前に出現するだろう。

仏教では誓願《せいがん》を立てることを大切にする。誓願とは具体的な行動を伴う願いである。行動につながる堅く強い願いだけが、実現を引き寄せる。阿弥陀如来の前身の法蔵菩薩も、堅い誓願を立てて実行したから、阿弥陀仏になれたのだという。日蓮も、法華経の行者として生きる強い決意を固めたからこそ、それを広めることができた。

神道でも、邪心のない清らかな祈願が叶えられると信じられている。元寇の際、亀山上皇が石清水八幡宮でなしたような「ともいき」に基づく祈願である。

一方、江戸時代に生きた思想家・安藤昌益《あんどうしょうえき》は、無神論者だったが、身分や階級の差別を徹底的に批判し、平等で理想的な社会を説き、それを強く追求した人だった。彼も庶民と共に生きる「ともいき」の人だった。強い真摯な願いだけが実現を引き寄せるのである。

アメリカの行動心理学者バラス・F・スキナーも、西洋人でありながら西洋思想を批判し、「ともいき」社会をつくりたいと強く願っていた。彼は、世界のあらゆる人々が幸せに暮らしていくための技術として、行動分析学を研究していたという。

「ともいき」は、宇宙の根本であり、摂理であり、宇宙の意思だ。人間は「ともいき」をするために造られ、愛を基盤とした「ともいき」によってのみ、真に幸福な人生を送ることができる。資本主義と共産主義の欠点を乗り越え、社会を本当に豊かにし、幸福にするものは、ともいき主義以外にはありえない。「ともいき」社会は、全人類が目指すべき目標であり、全ての国が追い求めていくべきものだ。

人類に貢献した人々は、皆「ともいき」に生きていた。それは日本の建国の理念でもあり、日本の先達らは「ともいき」を念頭に国造りを行ってきた。その伝統は今を生きる私たちの中にも確実に受け継がれている。

現在を生きる私たちは様々な問題を抱えているが、「ともいき」政治を通じてそれらを乗り越えていくことが大切だ。そして、私たち日本人が率先して社会の優れたモデルケースをつくり、世界のリーダーになるべきである。

日本だけでなく、全ての国がともいき主義を抱き、その下で政治や経済、教育に取り組んでいくならば、世界はもっと住みやすく、夢と希望にあふれた豊かなものになる。そのような世界の到来を願ってやまない。

# 第五章

# 「ともいき」の文化

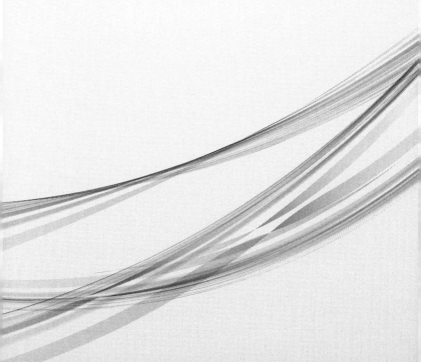

## ■愛が「ともいき」文化を育てる

「文化」という言葉は様々な定義がなされているが、二〇〇二年に文化庁の諮問機関である文化審議会が発表した答申「文化を大切にする社会の構築について」では、

・人間が人間らしく生きるために
・人間相互の連帯感を生み出し、共に生きる社会の基盤を形成するために
・より質の高い経済活動を実現するために
・科学技術や情報化の進展が人類の真の発展に貢献するものとなるよう支えるために
・世界の多様性を維持し、世界平和の礎をつくるために

文化が果たす機能・役割は人間社会にとって「きわめて重要なもの」だとしている。

ともいき主義と重なる点も多くあるが、私は文化の根底には必ず「愛」があり、それを様々な形で表現したものが文化であると考えている。自然とのつながりにおいて畏敬の念を抱くこと、人や物とのつながりにおいて大切に思うこと。こうした愛が、世界にある有形無形の文化をつくり出してきたのだ。

ともいき主義は愛を最大の動機とするものであり、「ともいき」社会で育まれる文化も

愛にあふれたものとなる。その愛は永遠的価値を持つ。愛は明確な形を持たず、みることもふれることもできないが、常に私たちの身近なところにあり、意識すれば感じられるものである。

歴史を振り返れば、愛に根ざした「ともいき」文化は世界中の様々な出来事の中に色濃く表れている。

一九八五年、中東イランのテヘラン空港で二一五人の日本人が立ち往生する事件があった。当時はイラン・イラク戦争が泥沼化し、イラクのサダム・フセイン大統領が率いるイラク軍は同年三月、イランに対して総攻撃体制に入った。その一環としてフセイン大統領は、テヘラン上空を航行する飛行機はいずれの国籍だろうと撃墜する、という方針を発表した。

撃墜開始は、日本時間の三月二〇日午前二時。その時までに出国できなければ、戦争のただ中に取り残されてしまう。イランにいた外国人は我先にと出国したが、どの国の航空機も自国民を優先し、日本人ははじき出されてしまった。自衛隊による救援は憲法にふれるという圧力を受け、日本の外務省は民間機の派遣を依頼したが、「帰路の安全が保障されない」として断られてしまった。こうして日本人だけがテヘラン空港に取り残された。

無策のまま時が過ぎ、撃墜開始の時を迎えようとしていたその時、テヘラン空港に一機の航空機が緊急着陸した。それは日本ではなく、トルコ航空機だった。訳もわからぬまま日本人二一五人が駆け足で乗り込むと、トルコ航空機は成田へ飛び立っていった。

「なぜ、危険を冒してまでトルコの航空機が日本人を救出してくれたのか？」

多くの日本人は、テレビを観ながらそう感じていた。この出来事を報道した朝日新聞は「日本が対トルコ経済援助を強化していることなどが影響しているのでは？」といった当て推量を書き、取材不足を露呈していた。

トルコの人たちが日本人を助けてくれたのは、そんな理由ではなかった。彼らのうちには、「あの時の恩返しがしたい」という強い思いが働いていたのだ。

のちに駐日トルコ大使は、産経新聞の取材でこう語っている。

「救援のために特別機を派遣した理由の一つは、トルコ人の親日感情でした。その原点となっているのが、一八九〇年のエルトゥールル号の海難事故です」

多くの日本人は知らないかもしれないが、トルコ人では知らない人はいないほどの出来事であり、今も当時のことに深く感謝しているという。

一八九〇（明治二三）年、当時のオスマン・トルコ帝国から親善使節団を乗せた軍艦エルトゥールル号がはるばる日本にやってきた。明治天皇に謁見し、大歓迎の中で友好を深めた三カ月後、エルトゥールル号は日本を離れたが、和歌山県の沖合で台風に遭遇し、沈没してしまった。この事故で乗組員の九割に相当する五八七人が死亡した。

しかし、日本の地元民が不眠不休で生存者を救助し、六九人の命が助かったのである。救助したのは、和歌山県の沖合に浮かぶ紀伊大島の島民だった。台風の直撃を受け、救助活動は難航したが、島民は必死に救助を続けた。当時の記録が残っている。

「まず生きた人を救え！　海水で血を洗い、包帯をせよ。泣く者、わめく者を背負って二〇〇尺の断崖をよじのぼる者は無我夢中だった……」

島民たちは、生存者を助けると彼らを背負って断崖をよじのぼり、火をおこすこともままならない中、震える彼らを人肌で温め、非常用の食べ物を食べさせた。島にはわずか四〇〇戸しかなかったから、たちまち食料が欠乏した。そこまでしてでも、彼らはトルコ人たちを助けたのだ。

直後から日本国内では政府の援助だけでなく、生存者や犠牲者の遺族に対する民間義援金が全国から集まった。生存者たちは病院で手厚い看護を受け、日本の船に乗せられて無事トルコに帰国した。そして、遭難現場付近の岬と、地中海に面するトルコ南岸の双方に慰霊碑が建てられたのである。

このエルトゥールル号の事故と日本人の献身的な救助活動は、トルコでは歴史教科書にも記された。だからトルコの人たちは、いつか日本人にこの恩返しがしたいと考えていたのである。それが、テヘラン空港の日本人救助につながった。愛は、日本人とトルコ人の「ともいき」を生み、一〇〇年の歳月を経ても人々の間に強い絆を生んだのである。

エルトゥールル号の船員を助けた島民は、ごく普通の人々である。彼らが示した愛が、これほどに大きなものを生んだのだ。愛は「ともいき」を生み、人々の中に熱い感情を引き起こす。この話を授業で学んだ日本の高校生は、次のような感想文を書いている。

「私は日本人でありながら、日本人という人間があまり好きではなかった。私も含めて日本人は、冷酷で自己中心的で、自分の幸せだけを見つめて生きていく人間だと思っていたからだ。(テヘラン空港で)自分の国の人たちが、今にも攻撃され死んでいくという危機の中、日本人という奴は見捨てたのだ。自分の命一つが惜しいがために、二一五名の尊い命を見捨てたのだ。信じられないと思った反面、日本人なんて、そんなものさ、という思いもあった。

ところが、そんな絶望の淵に立っていた日本人たちを救ったのは、トルコ人だった。私は最初、どうしてトルコ人がこんなことをするのかわからなかった。……トルコ人は善意の人たちだった。

しかし、それよりもさらに善意の人たちだったのは、私が今までさんざん毛嫌いし、見下してきた日本の、大島の島民たちだった。鎖国が開けてすぐの日本人だ。この話を聞いて、私は鳥肌が立った。日本人という人間がこんなに素晴らしかったなんて……。本当に心から救われたような気がした。そして、その恩を返すべくトルコ人の日本人救出の飛行機……。まるで恩のキャッチボールではないか。

今、そのボールは日本にある。……はたして私たちにどんなことができるのか、それを考えなければならない。何ができるか。何かしなければ……。私のボールはまだ私のグローブに収まったままだ」

この高校生は、エルトゥールル号の話を聞いて、自分が生まれ育った日本に対する見方が一変したという。そして、人生で最も大切なことを学んだ。心と心の間のキャッチボール、愛に基づく「ともいき」である。

## ■「ともいき」がつなぐポーランドとの絆

同様の話は、ポーランドと日本の間にもあった。長きにわたり強大国に囲まれてきたポーランドは、かつて国土を三分割されてしまうという悲劇にみまわれた国である。

一八世紀末、ポーランドはロシアとプロイセン、オーストリアによって三分割され、全ての国土を失った。ポーランドの愛国者たちは地下にもぐって独立運動を展開したが、そのたびに逮捕され、家族もろとも流刑の地シベリアに送られた。

バビロン捕囚時代のユダヤ人のように、シベリアへ流刑となったポーランド人は極寒の中で遠く祖国を思い、涙した。シベリアの地で肩を寄せ合い、寒さと飢餓と伝染病と闘いながら、かろうじて生きた。特に、親を失った子どもたちは悲惨きわまりない状態に置かれていた。

それから一二〇年後、第一次世界大戦が終結した一九一八年、ポーランドは独立を回復した。しかし、シベリアにいた一五万とも二〇万とも言われるポーランド人は祖国に帰れなかった。同時期にロシア革命によってソ連が誕生し、ポーランドとソ連の間で戦争が始まり、唯一の帰国方法であったシベリア鉄道が危険地帯となったからである。再び絶望に陥ったシベリアのポーランド人たちは世界に救援を求めたものの、ことごとく失敗した。ところが、唯一「よし、手を貸そう」と名乗り出た国があった。大正時代の日本である。

具体的には、日本赤十字社とシベリアに出兵していた日本陸軍の兵士たちである。彼らの行動は機敏だった。依頼を受けてから三週間後にはシベリアに入り、親を亡くし、やせ細ったポーランド人孤児の救出活動にあたった。救出した孤児たちはウラジオストクや韓国の釜山《プサン》を経由し、陸軍の輸送船で日本に到着した。救助活動は実に三年近くにわたって続けられ、合計七六五人の孤児をシベリアから救出した。

救出はしたものの、多くの孤児は伝染病と飢餓で衰弱しきっていたため、日本国内の療養施設では看護婦がつきっきりの看護にあたった。腸チフスに罹り衰弱していた子どもの看護にあたった若い看護婦は、ついに自分が腸チフスに感染し、殉職したという。

こうした人々の看護活動を支えるため、療養施設には全国から支援金だけでなく、おもちゃや菓子など慰問の品々が寄せられた。無料で歯の治療や理髪を申し出る人たちもいた。孤児たちのために音楽会を開いてくれる人たちもいた。また、貞明皇后も孤児たちと親しく接し、彼らを優しく抱きしめられたという。

その後、心身の傷を快復した孤児たちは、八回に分けて祖国ポーランドへ送り届けられた。横浜港から出港する時、幼い孤児たちは乗船するのを泣いて嫌がったという。親身になって世話をしてくれた日本人は、孤児たちにとって父となり母となっていたからだ。

後日、救援を求めたポーランド極東委員会の副会長ユゼフ・ヤクブケヴィッチ氏は、日本に次のような手紙を送った。

「日本は、我がポーランドとは全く異なる地球の反対側に存在する国です。しかし、不運なるポーランドの児童に、かくも深く同情を寄せ、心から憐憫《れんびん》の情を表してくれました。我々ポーランド人は、肝に銘じてその恩を忘れることはありません。

我々の児童たちをしばしば見舞いに来てくれた裕福な日本人の子どもが、孤児たちの服装の惨めなのをみて、自分の着ていた最もきれいな衣服を脱いで与えようとしたり、髪に結ったリボン、櫛、飾り帯、果ては指輪までも取ってポーランドの子どもたちに与えようとしました。一度や二度ではありません。こんなことがしばしばありました。……

ここにポーランド国民は日本に対し、最も深い尊敬、最も深い感恩、最も温かき友情、愛情を持っていることをお伝えしたいと思います」

この時助けられた孤児のうち幾人かはまだ存命で、「君が代」や「うさぎとかめ」を口ずさむという。

この出来事から七五年の歳月が過ぎた一九九五年一月一七日、神戸などを中心に大地震が起きた。阪神・淡路大震災である。その時、真っ先に被災者の救援に飛んできてくれたのは、ポーランドの人たちだった。また、ポーランドの人たちは震災後、被災した日本の子どもたち六〇人をポーランドのワルシャワに招き、激励会を開いてくれた。シベリアで助けられた元孤児との対面もあったという。

これを企画したのは、駐日ポーランド大使館のスタニスワフ・フィリペック商業参事官だった。かつて日本がポーランド人孤児を救ってくれたことを知っていた彼は、「いつかポーランド人として恩返しをしたい」と心に念じていたのだという。

ポーランドと日本の間でも、愛による「ともいき」が時を超えて育まれている。それは恨みよりも、欲得や利己主義よりも、はるかに大きな力なのである。

## ■日本を救った「ともいき」の愛

愛は人々を救うだけでなく、国をも救う。今から約一四〇〇年前、日本で「愛国」という言葉が初めて登場した出来事があった。

当時、中国は唐の時代、朝鮮半島には百済《くだら》と新羅《しらぎ》という国があった。この百済が侵略を受けた時、日本は援軍を送り、百済の国を助けるべく唐と新羅の連合軍を相手に戦った。白村江《はくすきのえ》の戦い（六六三年）である。

この時、日本人兵士の大伴部博麻《おおともべのはかま》という人が戦いの中で唐の捕虜となり、長安（現在の西安）に連行されてしまった。その博麻の耳に「唐の軍隊が日本襲来を計画している」との情報が入ってくる。日本にとっては一大事である。しかし、囚われの身の博麻には日本に帰る方法がない。そこで博麻は、同じく捕虜となっていた四人の仲間にこう言った。

「私を奴隷として売れ。そのお金で君たちは日本に帰り、日本襲来計画を伝えてくれ」

博麻は奴隷となり、四人はからくも帰国を遂げた。襲来計画の情報を受け、日本では沿岸の警備を強化し、都を近江に移して防衛に努めた。

一方の博麻は、ひとり唐にとどまることになった。記録には記されていないが、想像を絶する苦難の日々だったに違いない。やがて三〇年が経ち、博麻は幸運にも故郷日本に帰ることができた。彼を迎えた持統天皇は「あなたが朝廷を尊び、国を愛し、自分を売ってまでして忠誠を示してくれたことを喜ぶ（尊朝愛国、売身輸忠）」と異例の詔を述べ、様々な恩賞を与えた。これは『日本書紀』に記されている話で、「愛国」という文字が日本の文献に初登場した記事である。

大伴部博麻はもともと農夫の出で、一介の庶民にすぎない。そんな彼が異国の地で囚われの身になっても愛する祖国を守りたいと思い、実際に国を守ったのだ。彼もまた「ともいき」の人だった。

「愛国」という言葉は戦争をはじめ、様々な場面で使われてきたため、この言葉の意味については人それぞれ解釈が異なるだろう。私自身は愛国という言葉に対して、純粋な意味での「国を愛する」というイメージを抱いている。自分の愛する人たちが暮らす国、愛すべき自然や文化を持つ国を大切にしたい。それらをひと言で表せば「愛国」となる。ともいき主義を通じて日本をより良くしたいという思いもまた、私にとっては「愛国」なのである。

## ■自分の命さえ惜しまない愛

いたずらに自己犠牲の精神を煽ることは、私の本心ではない。しかし、自己犠牲がうかがえる行為は、人間だけでなく動植物にも多分にみられるように、ある意味では生命と宇宙の根本、摂理に根ざした行為と考えることもできるだろう。

三浦綾子の小説に『塩狩峠』（新潮社）というものがある。かつて北海道における鉄道事故の際、自らの生命を投げ出して乗客を救った実在の人物、長野政雄の生涯をもとに描かれた小説である。

長野政雄は鉄道員だった。一九〇九（明治四二）年二月二八日夜、非番だった長野は蒸気機関車に乗り、旭川のキリスト教会の祈禱会に向かっていた。しかし、塩狩峠の長い上り坂に差し掛かった時、最後尾の客車が突然分離し、坂を下り始めた。乗客全員が騒然となった。

客車に乗り合わせていた長野は必死にハンドブレーキをかけたが、多少速度は弱まったものの客車は止まらない。このまま行けば、さらにスピードが上がり、カーブで転覆し大事故になる。その時の乗客の証言によれば、長野は一瞬、車内を振り向いて祈りを捧げたという。

次の瞬間、ガタンという音と共に車両が停止した。長野が線路に飛び降り、自分の身を障害物にして車両を止めたのだ。真っ白な雪の上に鮮血が飛び散っていた。こうして一つの命と引き換えに車内にいた全員が救われた。今も塩狩峠には、彼のこの行為を刻んだ顕彰碑が建っている。

当時、長野政雄は三〇歳だった。後日わかったことだが、彼はいつも「遺書」を身につけていた。人生は、生きるにしても死ぬにしても神のためであり、もし死ぬのであれば、いつでも愛のために死ねる覚悟を持てるよう、心がけるためだったという。殉職した際、彼の懐からその遺書が発見された。その一節に、「苦楽生死、等しく感謝。余は感謝して全てを神に捧ぐ」とあった。

時に愛は最も崇高な行為を成し遂げる。人間社会に必要なのは、利己主義でも恨みでもない。愛である。それは、「ともいき」の国においても中心に据えられるものである。

## ■光明皇后の「ともいき」

天皇家も、神武天皇から今上天皇に至るまで祖国愛と「ともいき」精神を深く持ってこられた。一例を挙げれば、八世紀の聖武天皇の后、光明皇后は特筆すべき「ともいき」の人であった。

『続《しょく》日《に》本《ほん》紀《ぎ》』によれば、実はその治世にペルシャ人の李《り》密《みつ》翳《えい》という人が来日し、皇室と深い関係を持ったという。李密翳は、一説にはシルクロードを経てやってきた景教徒（ネストリウス派キリスト教徒）であったとも言われている。彼の来日後、皇后は天皇家の身でありながら庶民と共に生き、慈善活動を多く行ったのである。たとえば、次のような逸話が伝わっている。

光明皇后は温室（浴室）を建てて貴賤の別なく人々に開放し、市井の人々と共に生きるべく「私は一〇〇〇人の垢《あか》を流そう」との誓いを立て、自ら看護婦のように仕えることを決意した。周囲の者は必死に止めたが、誰も皇后の意志を変えることはできなかった。

皇后は九九九人の垢を流し、最後の一人という時になった。やってきたのは、体の崩れかかった病人だった。彼が入るなり部

光明皇后像（日本赤十字秋田看護大学・日本赤十字秋田短期大学所蔵）

屋中に異臭が立ちこめたが、皇后は手を差し伸べて背中を流し始めた。

すると病人は、「私は悪い病を患い、長い間苦しんでおります。ある医者の話では、誰かに膿《うみ》を吸ってもらえれば、きっと治るのだそうでございます。世間には、そんな慈悲深い人もございませんので、だんだんひどくなり、このようになりました。皇后様は慈悲のお方で、人間を平等にお救いになります。ひとつこの私もお救いくださいませんか」

皇后は心を決め、彼の膿を吸い出した。そして、全身の膿を吸い出すと、陰徳を重んじる皇后は、病人に「慎んでこのことを人に話さないように」と言った。すると、病人はまばゆい光を放ち、姿を消したという。

この逸話は鎌倉時代に書かれた『元亨釈書《げんこうしゃくしょ》』に記されている。日本に仏教が伝来して以降の様々な出来事や人物を紹介した本で、光明皇后の没後約五〇〇年後に書かれた。著者は臨済宗の僧、虎関師練《こかんしれん》という人である。ところが彼は、この書物を記した後、光明皇后の行為を批判してこう述べたという。

「皇后が温室を建てたのはいい。しかし垢を流したり、膿を吸ったりすることは余計なことである。そんなことをしなくとも、誠さえあるならば、いつでも、どこでも仏を拝めるはずである。皇后の慈悲行為は常識を失っている」

つまりこの仏教僧は、光明皇后の行為を記しながらも「仏教的でない」と批判しているわけである。一方、光明皇后の行為は、キリスト教的思想からはよく理解できる。景教徒たちは、シルクロードで同様の慈善福祉事業を行ってきたからだ。

近代でもベルギーのカトリック宣教師ダミアン・デ・ブーステル神父（一八四〇～一八八九年）はハワイに滞在した際、志願してモロカイ島のハンセン病施設に赴き、約八〇〇人のハンセン病患者を献身的に世話した。あまりにも献身的だったために自らも感染してしまうが、「病人の気持ちが理解できた」と語り、死ぬまで喜んで奉仕を続けたという。光明皇后の心は、このダミアン神父の心と同じであろう。

聖書をみると、興味深いことがある。キリストがハンセン病患者に手をふれて「きよくなれ」と言い、ハンセン病が癒やされた記述があるが、その際にキリストは「気をつけて、誰にも話さないようにしなさい……」（マタイの福音書八章四節）と語っている。

光明皇后が病人に「慎んでこのことを人に話さないように」と語りかけたのは、この聖書の逸話が背景にあるとも思われ、光明皇后の逸話にも当時日本にいた景教徒の影響があったと考えることができる。

光明皇后の行動が景教・仏教のどちらに由来するのかは知る由もないが、いずれにしても皇后は深い「ともいき」の人であった。

## ■敵味方を超えた「ともいき」

日露戦争中、愛媛県松山にロシア人捕虜収容所があり、約六〇〇〇人のロシア人捕虜が収容されていた。この時、県の役人は「捕虜は罪人ではない。祖国のために奮闘して敗れた心情をくみとり、一時の敵愾心《てきがいしん》に駆られて侮辱を与えるような行動は慎むこと」と県民に訓告していた。

松山に来た捕虜の大半は傷病兵だった。彼らに対して、日本赤十字の医師や看護師は懸命に治療と看護にあたった。手足を失った者には、当時の皇后陛下より義手や義足が贈られた。捕虜の一人だったF・クプチンスキーは日記にこう書き記している。

「敵国でこのようなやさしい思いやりを予期したであろうか……。医師や看護師の献身的な心配りは、真の人間愛の表れである。それは神聖にして不滅のもので、キリストの愛と名づけられるものである」

医師や看護師たちは、日本に伝わる「清き明《あか》き心」に従って行動していたが、ロシア人捕虜の目には「キリストの愛」があふれたものに映ったという。

日露戦争後の明治四〇年、日本政府はロシア兵戦死者の忠魂碑（慰霊碑）を建てているが、まず敵兵のための碑を建て、二年後に戦死した日本兵の忠魂碑を建てている。ロシア兵を弔う碑は、旅順《りょじゅん》の二〇三高地の東山麓にある。山口県から大理石を運び、大きなロシア正教風のチャペルと共に碑を建てた。除幕式にはロシア側も呼び、日本の乃木希典大将も参列した。ロシア人は「世界の歴史において敵の忠魂碑を建てた国は日本が初めてである」と感涙にむせび、ロシア語で「ウラー（バンザイ）」と叫んだという。

武士道にも通じる「互いに命を尽くして戦った敵を敬う」という日本の精神は、昔からある。たとえば鎌倉時代の二度にわたる元寇では、モンゴル軍や加勢した漢軍・高麗《こうらい》軍、日本の武士の双方で数万から十数万とも言われる戦死者が出た。この時、日本側の大将だった北条時宗は、敵味方にかかわらず全ての戦死者を弔うために寺を建立した。それが鎌倉の円覚寺である。

敵味方に分かれて戦ったとしても、戦い以外の場所では相手を敬う。それが人間性、ひいては国としての品格を高めることにつながると日本人は知っていたのである。

## ■敵をも味方に変える

かつて太平洋戦争が始まった時、日本はイギリス領だったマレー半島に進出した。当時イギリスは各地に植民地をつくり、収奪と搾取を繰り返していた。

日本軍は破竹の勢いでイギリス軍を破っていったが、しばらくしてイギリス軍の一大隊が退路を断たれて孤立している、という情報が入ってきた。その大隊は隊長がイギリス人で、残りは占領下にあったインド兵という部隊だった。

大隊に降伏を迫るため、藤原岩市《ふじわらいわいち》少佐と通訳一人およびインド人プリタム・シンが現地に向かった。藤原少佐は陸軍中野学校の出身者で、様々な国で諜報活動を行っていた。映画「007」シリーズのジェームズ・ボンドのような存在だが、藤原少佐は実在の人物である。彼らの目的は日本を守り、アジア諸国を白人の支配から解放することだった。彼らはビルマやマレーシア、インド、インドネシアなどで現地の独立運動を支援し、組織するという活動を行っていた。プリタム・シンは、そうした活動の中で藤原少佐と友情を築いたインドの独立運動家だった。

藤原少佐は護衛もつけず、三人だけで面会場所に向かった。携帯した武器は軍刀だけ。ゴム園の休息所でイギリス軍の隊長に会うと、藤原少佐は椅子と温かいコーヒーを勧めた。そして、各地で日本軍がイギリス軍を圧倒している状況を語り、これ以上抵抗して部下を犠牲にしないよう強く勧めた。投降した兵士は、武士道精神をもって公正な扱いをするとも約束した。

この光景を、インド兵たちは驚きの目でみていた。敵陣に銃も持たずにやってきた東洋人が、堂々とイギリス人隊長と向き合い、誠意あふれる姿勢で説得を始めたからだ。隊長はしばらく沈思黙考していたが、やがて藤原少佐の勧めを受け入れ、イギリス軍の大隊は降伏した。

三日後、捕虜となったインド兵約二〇〇〇人をさらに驚かせる出来事があった。藤原少佐はインド兵たちと一緒に食事をしたのである。しかも、インド料理がふるまわれ、かき集められた楽器でインド音楽が演奏された。食事が始まると、インド人捕虜を代表してモハンシン大尉が立ち上がり、感謝の言葉を述べた。

「日本軍が戦いに負けた私たちインド兵捕虜、しかも下士官まで加えて、同じ食卓でインド料理を共に食べる時を持って下さるなどということは、イギリス軍内では何びとも想像できないことでした。イギリス軍の中では、同じ部隊の戦友でありながら、イギリス人将校がインド兵と食を共にしたことは一度もありません。

また、インド料理を時々でも用いてほしいという我々の提案さえ、受け入れられませんでした。藤原少佐のこの敵味方、勝者敗者、民族の相違を超えた温かい催しこそは、一昨日以来、我々に示されつつある友愛の実践とともに、日本のインドに対する誠意の千万言にまさる実証です。インド兵一同の感激は表現の言葉もありません」

さらにその二カ月後、東南アジアにおけるイギリスの要衝シンガポールが、日本軍の攻撃によって陥落した。この時、一〇万を超えるイギリス軍が降伏したが、半数の五万人がインド兵だった。藤原少佐は、インド兵捕虜の前で四〇分に及ぶ大演説を行った。彼は、日本の戦争目的の一つは「アジアの諸民族の解放にある」とし、「日本はインドの独立を強く願っている」と語った。「その独立を、誠意を持って援助する用意がある」と。

そして、「シンガポールが陥落した今こそ、イギリスはじめ欧米列強の支配下にあるアジア諸民族が、その鉄の鎖を断ち切って解放を実現する絶好の機会なのだ！」と訴えた。その火を吐くような熱弁にインド兵捕虜たちは感激し、インド独立のため、アジア解放のために共に戦うことを誓い合った。

こうした一連の経験が両者の間に深い絆をつくり出した。インド兵捕虜たちはその後、インドを独立に導くインド国民軍の礎となり、日本と協力してインド独立を導く中心的な役割を果たしていった。

彼らを敵から味方に変えた藤原少佐の根底にあったのは、まさしく「ともいき」精神だった。敵味方を超え、勝者敗者を超え、民族の相違を超えて共に生きる。その実践の先にあったのが、一国の独立という歴史につながったのである。

## ■市井の人々の「ともいき」

ともいき主義の中心である愛は、歴史に名を残すような人々だけが実践していたわけではない。

たとえば岩村昇という医師がいる。彼は一九六二年、日本キリスト教海外医療協力会の依頼で結核やマラリア、ハンセン病患者が多くいたネパールに派遣された。医療施設に来られない患者のために、彼は医療具を背負い、歩いて険しい山を越え、谷を渡り、巡回医療に努めていた。

ある村を訪れた際、一人の老女が倒れていた。一刻も早く病院で治療する必要があったため、村々に荷物を運搬していた若い男性に老女の搬送を依頼したところ、快く引き受けてくれた。彼は三日間老女を背負い、三つの山を越えて病院まで運んでくれた。岩村医師は感激し、労賃を倍にはずんで渡そうとしたが、若者はそれを断り、こう語ったという。

「おれは貧乏をしているが、この三日間、金儲けしようと思っておばあさんを運んだのではない。共に生きるためだ。生きるとは弱き者と分かち合うことだ。おれは若さと体力がある。長い一生の旅路でほんの三日間、それをおばあさんにお裾分けしただけだ」

そう言って去っていく若者の服はボロボロで、素足の裏から染み出した赤い点が道々に跡を残していた。岩村医師は彼の「共に生きるため」という言葉を胸に刻んだだけでなく、紙に書いて壁にかけ、自分のモットーとした。

岩村医師も「ともいき」の人であったが、老女を背負った彼もまた「ともいき」の人であった。有名無名にかかわらず、「ともいき」に生きる人は「ともいき」に生きる人によって支えられるのである。なぜかといえば、生命や宇宙創造の動機は愛だからだ。世界は愛で支えられ、「ともいき」によって成り立っている。

ともいき主義は、この愛を育て、行き渡らせることを目的としている。愛を動機として家庭の為、社会の為、国の為、世界の為に生き、「ともいき」社会を実現していく。私はこのような愛を「志の愛」と呼んでいる。ともいき主義は、志の愛を社会発展、文化創造の原動力とし、国の繁栄と人々の幸福を築こうとするものである。

## ■実業家のともいき主義と信仰心

ともいき主義を実践し拡大していく上で、愛と共に信仰心（あるいは信念）が大きく役立つことがある。「神などいない、祈りなど無意味だ」という人はそれでも結構だが、過去を振り返れば、歴史に名を残した人の多くは信仰心も篤い人々だった。信仰心に篤い人々は、本当の意味で心の豊かさを持ち、愛と希望に生きているからである。

たとえば、東京・墨田区向島にある三囲《みめぐり》神社は豪商・三井家にゆかりの深い神社で、かつて池袋の三越デパートの入り口にあった大きなライオン像が鎮座している。

現在は三囲神社と呼ばれているが、創建当時は田中稲荷と呼ばれていた。その境内には「三柱鳥居《みはしらとりい》」（造化三神《ぞうかさんしん》を表すシンボル）がある。研究者の間では古代日本にやってきた古代東方キリスト教徒とも言われる渡来人＝「秦氏《はた》」一族の信仰のシンボルである。

田中稲荷（三囲神社）には次のような話も伝わっている。一七世紀に干ばつが起こった際、この神社で祈禱を行ったところ、翌日雨が降ったという。それで神社の名が広まり、豪商・三井氏が江戸に進出する際、「三と囲の字は三井を守る」と考えて守護社とした。そして、越後屋（三越の前身）の本支店で稲荷神を祀り、信仰心を持って誠意ある商いに努めたところ、越後屋は各地で大成功を収め、さらに大きくなっていったという。

三菱グループの創始者・岩崎弥太郎も、稲荷神を篤く崇敬していた。彼は土佐稲荷神社（大阪市）を三菱の守護神としていた。この稲荷神社は土佐藩主・山内豊隆が社殿を造営したものだが、明治になって岩崎弥太郎に譲られた。弥太郎はここで事業を興し、三菱発祥の地とした。三菱の本社を東京に移した後もこの神社だけは手放さず、三菱を導く神として崇敬した。

パナソニックの創業者・松下幸之助は、もともと病弱だったが、生涯にわたって神社を篤く信仰し、石清水八幡宮では氏子総代を務めていた。パナソニックの各拠点に分祠された神社＝「祈りの場」が設けられていたことは有名である。

神仏と共に生きた彼はまた、ご利益に対して感謝し社会に還元すること、すなわち富を「ともいき」に生かすことも忘れない人だった。東京・浅草寺の大提灯にも松下の名が記されているように、松下幸之助は教育や福祉、文化などの事業に巨額の寄付を行ってい る。さらに後年は、国の剰余金の二割を海外へ寄付し、役立ててもらうといった国造りを夢みていた。人徳と同様に国としての「徳」を高め、日本だけでなく、世界中の人々と共に生き、繁栄を分かち合おうとしていたのだ。

京セラやKDDIを創業した稲盛和夫も、万策尽きたと頭《こうべ》を垂れる技術者に、「おい、神様に祈ったか？」と声をかけたことがある。彼は創業理念に西郷隆盛の「敬天愛人」を掲げ、天と人と共に生きる「ともいき」を心がけていた。仏教にも帰依《きえ》し、在家得度していた彼は、常々「人生は必ず、つじつまが合う。善きことをすれば善きことが返ってくる」と言い、利他の心を説いていた。こうしたことが彼の事業に成功を引き寄せた。

本田技研工業の創業者・本田宗一郎は、一九五七年に発売したバイク「ドリームC70」

のデザインに神社のイメージを取り入れた。世界に輸出するには欧米の真似ではなく、独自のデザインが必要だと考えた彼は、京都や奈良を一〇日間ほど旅し、そこで見た神社仏閣のモチーフを取り入れ、斬新で魅力的なデザインのバイクをつくり上げた。そして、このバイクの輸出が経済大国日本の先駆けとなり、発展の道筋をつくっていった。

トヨタグループの創始者・豊田佐吉は一一歳の頃、自分の病弱を克服したいと静岡から愛知県岡崎市の岩津《いわづ》天満宮まで往復一〇〇キロの道のりを歩き、病除を祈願した。その後健康を回復し、次々に大きな発明をしていった。彼は晩年「豊田綱領」と呼ばれる訓示を残したが、その一項目は「神仏を尊崇し、報恩感謝の生活を為すべし」であった。彼の敬虔な生き方がうかがえる。

また、トヨタ自動車は「トヨタ式カイゼン」で有名だが、この改善法は神社に学んだものだという。神社は掃除が行き届いており、また結界といって聖なる所と俗なる場所を明確に分けている。これに学んだトヨタは「5S（整理、整頓、清掃、清潔、しつけ）」を基本としてトラブルの芽を徹底的に摘み、仕事をはかどらせるための環境づくりに努め、やがて「世界のトヨタ」を築いていった。

クリーニング事業を行う白洋舎の創業者・五十嵐健治は聖書の神への信仰心に篤く、利益よりも奉仕のために働くという創業精神を持っていた。彼は一九〇六（明治三九）年、衆議院議長を務める片岡健吉が早朝の教会で教会員の草履《ぞうり》を修繕していたという話を聞いて感動し、「奉仕の精神を持って人様の垢を落とさせていただく」と決心し、クリーニング業を始めたという。信仰心が彼を「ともいき」の人生に導いたのである。

森永製菓の創業者・森永太一郎は、聖書の神を信じて事業を興し、苦難を乗り越えて成功させた人である。同社のロングセラー商品に「マンナビスケット」があるが、これはかつてイスラエル民族が荒野で得た天からの食べ物マナ（マンナ）から名づけられたものだ。発売は一九三〇（昭和五）年、世界恐慌の影響で日本は大不況下にあった。そうした時、低価格でも栄養価の高いお菓子を販売することで、困窮する消費者や販売店を助けたいと考えて発売されたのがマンナビスケットだった。以来、それは同社の発展をもたらす天からの食べ物になったのである。

いつの時代も、信仰心が人の魂（霊《たま》しい）を成長させ、「ともいき」に生きさせ、成功と繁栄を引き寄せる力となるのだ。

## ■神の世界の「ともいき」

信仰心に関連し、神の世界の「ともいき」もみてみよう。日本の神道では「造化三

蚕の社（京都府太秦）の三柱鳥居

神」、キリスト教では「三位《さんみ》一体の神」、仏教では「三身即一《さんじんそくいち》の仏」を信じている。

神道の「造化三神」とは、「アメノミナカヌシ（天之御中主）」「タカミムスヒ（高御産巣日）」「カミムスヒ（神産巣日）」の三神である。これらは『古事記』の冒頭に記されている最高神で、日本建国の神である。神道人の中には、造化三神を別々の神と捉えて「三位三体」と考える人々もいる。だが、古代の渡来人一族、日本に多大な影響を与えた秦氏系の神道では、これは「三位一体の神」と捉えられていたという。すなわち、三つにして一つの神、特に心を一つにした神である。

それは、秦氏がつくった蚕《かいこ》の社《やしろ》（京都府太秦《うずまさ》）の境内にある「三柱鳥居」に象徴されている。三柱鳥居とは鳥居を三つ立体的に組み合わせたもので、上からみると三角形をなしている。この三本の柱は造化三神を表している。同様の三柱鳥居は、奈良・大神《おおみわ》神社参道の大神教会（神道の教会）の境内にもあるが、その説明書きには「造化三神の三位一体を表す」と書かれている。

三位一体とは、神道の造化三神が「ともいき」をしているということだ。これは、シルクロード全域に広まっていた古代東方キリスト教の「三位一体神」、つまり「父なる神ヤハウェ」「御子イエス・キリスト」「聖霊（父なる神とイエスからくる霊）」の信仰からきたのではないかとの説もある。京都・籠《この》神社の海部《あまべ》穀定《よしさだ》宮司の著書によれば、タカミムスヒはアメノミナカヌシの「息子」であるという。一方、カミムスヒは聖霊と同様、地上の信者に息づく霊とされている。つまり、古代東方キリスト教の三位一体神と同様なのである。

このように、神道の造化三神でも古代東方キリスト教でも、神は「三位一体の神」であり、「ともいき」の神である。神の完全性は「ともいき」にある。「造化三神」の「造化」とは創造の意である。神の世界も、宇宙の創造目的も、人間の存在目的も「ともいき」にあるということになる。

造化三神への信仰は、昔から日本人の身近な所にあった。神道学者によると、おむすびが三角形なのは造化三神を表すからだという。正月の門松が三本の竹なのも、造化三神を表している。また、かつて人が亡くなるとご遺体の額に三角形の白い布をつけた。これは仏教ではなく神道の風習で、三角の布は造化三神を表し、死後の世界で造化三神にお会いできるようにとの願いが込められていた。さらに、三つ指（親指、人指し指、中指）を床につけて礼をするという日本伝統のお辞儀の仕方も、造化三神への敬意からきているという。これらをみても、日本人は古くから神と人間の「ともいき」の大切さを感じ、「ともいき」の観念を持ち合わせていたことがうかがえる。

一方、宗教評論家のひろさちや氏によると、仏教（大乗仏教）では「三身即一の仏」が信じられているという。「三身」とは、「法身《ほっしん》／大毘盧遮那仏《びるしゃな》（大日如来）のような真理そのものである仏」「報身《ほうじん》／阿弥陀仏のようにその真理を具現化した仏」「応身《おうじん》／歴史上の釈迦のような仏」の三種類の仏である。「三身即一」とは三つの異なった仏ではなく、一体であるという思想であり、見方によってはキリスト教の三位一体神の信仰にも似ている。いずれにしても、神道でも仏教でもキリスト教でも、神または仏の世界では「ともいき」を根本思想としていることがわかる。

聖徳太子（厩戸皇子）の「和をもって貴《たっと》しとなす」という教えは、単に「みんな仲良くしましょう」というものではない。研究によると、それは宗教間の争いが多かった当時、人々の間に「和」をつくり出そうとしたものだと言われている。実際、当時の日本では儒教徒、仏教徒、神道人の間で様々な争いが起きていた。

他方、『日本書紀』には聖徳太子が「篤く仏法僧を敬え」と教えたとある。あたかも聖徳太子が仏教一辺倒であるかのような記述だが、これは聖徳太子の死から一〇〇年後、『日本書紀』の編纂《へんさん》を担当した仏教僧・道慈《どうじ》が、聖徳太子の名を借りて書き記したものにすぎないと考えられている（大山誠一著『〈聖徳太子〉の誕生』吉川弘文館）。

古い歴史書『先代旧事本紀《せんだいくじほんぎ》』によれば、聖徳太子が語った本来の言葉は、「篤く儒仏神（儒教・仏教・神道）を敬え」であった。諸宗教が互いにいがみ合っていることに心を痛めていた彼は、宗教の違いにこだわらず、それぞれの神の下で「和」、すなわち「ともいき」に生きることを求め、自らもそれを実践していたのである。

## ■秦氏の「ともいき」

古代日本の伝統文化に多大な影響を与えた渡来人＝秦氏一族の長は、『日本書紀』や『新撰姓氏録《しんせんしょうじろく》』において「弓月《ゆづき》の君」と呼ばれている。「弓月」とは、現在の新疆《しんきょう》ウイグル自治区周辺にあった都市国家で、その都市は城壁に囲まれていたことから「弓月城」とも呼ばれていた。ここに暮らしていた人々がその後東へ向かい、西暦三〜四世紀頃に日本に大挙渡来してきた。

秦氏は自分たちを快く迎え入れてくれた天皇に感謝し、忠実に仕え、当時の大陸の最先端技術を日本に広めた。秦氏が当時、日本列島に住む他の氏族と紛争をしたという記録は見当たらない。むしろ、彼らは日本に溶け込み、天皇と国に仕え、日本の国造りにおいて中心的な役割を果たした。彼らは「ともいき」に生きた人々だった。

彼らの故郷である弓月には、現在も「ヤマト」（雅馬图）という場所もある。奈良に似た風光明媚な地で、秦氏は昔ここに住んでいた。美しいイリ川の流れる所だ。

実は「ヤマト」はそこだけでなく、古代の中近東にもあったという。紀元前九世紀のアッシリア王シャルマネセル三世が、ヘブル人やアラム人の住む地を「ヤマト（Yamat）の人々の町々」と呼んでいる碑文が発見されている。イスラエルの失われた十部族の補囚地の近くでもあった。こうしたこともあり、秦氏一族は日本に来てから、自分たちの居住区を「ヤマト」と呼んだのだろう。

古代日本は「倭国《わ》」と呼ばれることが多いが、日本語としての「ヤマト」の元の意味や語源は不明である。ユダヤ人研究家ヨセフ・アイデルバーグによると、ヤマトは「ヤー・ウマト」（神の民、ヤーはヤハウェの短縮形、ウマトは彼の民の意）というヘブル語であると

新疆ウイグル自治区北西部にある「弓月城」城壁跡（写真は全て堀井俊男氏提供）

「雅馬图」の地名を示す道路標識

現在の地図と「弓月」の位置

「雅馬图」の近隣を流れるイリ川

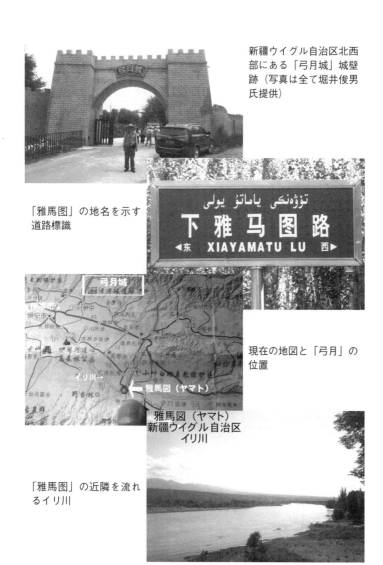

いう。すなわち、神と共に生きる民であり、「ともいき」の民の意味である。

## ■「ともいき」文化から得た学びを生かす

ここまで信仰と「ともいき」について述べてきたが、実際のところ、ともいき主義を実践する上で信仰の有無はあまり関係ない。どのような宗教の人も、無神論・無宗教の人も、今この瞬間から実践することができる。ともいき主義を成すという「信念」を抱き、「志の愛」によって自らにできることを実践すればいいのだ。そもそも、宗教は単に心に信じるだけでなく、行動に現れるものでなければ意味を成さない。信念や志も、現実生活を通じて実践されることで、初めて大きな力を持つ。

私たちは成長する過程で、日本の暮らしに浸透している様々な「ともいき」文化を学んできた。本章で紹介した人々は、信仰心の有無にかかわらず、その学びから得た信念や志を現実生活の中で実践してきたのだ。

信仰心の有無に関係なく、人間にとって最も大切なのは魂（霊《たま》しい）の成長である。聖人には「後光（オーラ）がさす」というが、聖人に限らず、魂（霊《たま》しい）が成長して「ともいき」と「愛」に目覚めた人は光り輝いてみえる。その光には虹のように様々な色があり、「ともいき」社会では様々な色の光が飛び交い、輝くことになる。

現世は有限であり、人は時間と空間という制約の中で生きている。だが、「ともいき」と「愛」に生きる人の価値は時間や空間を超えて永遠に光り輝き、その温かさは人々に大きな力を与える。

時間と空間があるからこそ、私たちは物質的に存在し、「ともいき」と「愛」を実践することができる。つまり、生きている時だけがその実践のチャンスなのである。

# 第六章

# ともいき主義の未来図

## ■ともいき主義を成す六つの根本理念

ともいき主義を構成する六つの根本理念を表せば、次の六つとなる。すなわち、「共に生きる」「愛に生きる」「為に生きる」「主《あるじ》（オーナーシップ）に生きる」「責に生きる」「唯心・唯物一体論的な世界観に生きる」である。

### 共に生きる

人間はどれだけ貧しくても、健康を害されても、差別を受け軽蔑されても、虐げられ、悲惨の極致にいたとしても、そのことを理解し、共感し、支えてくれる「共に生きる」家族や友人、仲間がいたならば、それだけで心が癒やされ、励みになり、嬉しくなるものである。そのこと自体が生きる希望となり、生きる力の源泉となる。

逆に、どれだけ経済的に恵まれ、健康で、社会で成功したとしても、共に理解し合い、共感し合い、支え合える家族や友人、仲間がいなければ、空しいものである。

「ともいき」は人間活力の源であり、全てを満たす目的である。それは、社会の一部にすぎない自分のみの幸福を求める「部分最適」ではなく、自分も他者も社会全体も等しく幸福になる「全体最適」を求める心である。

## 愛に生きる

愛こそが「ともいき」を生む。愛のない「ともいき」はありえず、「ともいき」のない愛もありえない。愛は時を超え、民族を超え、様々な障壁をも乗り越え、自分と他者と社会の幸福をつくり出す。世界を成り立たせているのは愛である。愛のない人生と社会は無価値だ。愛に生きる時にのみ、愛する者も愛される者も、幸福を実感することができる。

愛は永遠にして無限であるから、愛に生きる人もまた、永生を帯びた存在となる。古来、来世である彼の世の存在は言われ続けてきたが、愛が永遠である以上、人間の霊魂も彼の世で永生すると考えるほうが理に適っている。

彼の世については別の機会に詳述するが、ここで一つ大切なことは、彼の世は明確に存在しており、それは愛で呼吸する世界であるということだ。したがって、現世の人間としての目的は、愛を魂（霊《たま》しい）レベルで成熟させることにある。現世で生きる私たちは時間と空間の制約を受けているため、生きることに苦労が伴うのは必然である。その中で肉体の限界に挑戦することにより、より大きな愛の実績を打ち立てることができるのである。

ともいき主義は、愛を成熟させるために、愛を動機として、共に喜びを得たいという情的衝動が原動力となり、家庭の為、社会の為、国家の為、世界の為、より大きな愛の為に、あらゆる活動を推進する愛の実践思想である。

## 為に生きる

人間は自分の力だけで存在しているわけではない。自分の為に存在しているわけでもない。人だけでなく、万物が自身の為には存在していない。全ては「互いの為」に存在している。

人間の活力は、家族や親戚、友人、上司や部下、地域、ひいては国家や世界の為に「何か役に立とう」との思いを持つ時に発揮される。人に喜んでもらおうとする気持ち、また人を生かす為に自分は生きようとする思い。こうした愛を持って何かの為に生きようとする時、人は喜びに満ちあふれ、生き生きとした人生を送れるのである。その信念と志に基づく実践を通じて、「ともいき」社会の実現に近づくことができる。

## 主（オーナーシップ）に生きる

家庭、会社、地域、国家、世界、ひいては地球の資源全体のオーナーは私たち一人ひとりなのだ、という主意識を持って行動することが大切である。

たとえば散歩中、道路に空き缶が落ちていたら、あなたはどうするだろうか。多くの人は「自分が管理するものではない」と考え、素通りするかもしれない。一方、自宅の床に空き缶が放り投げられていたら、きっと拾うに違いない。もし、全ての物事に対してオーナーシップを持っていれば、道路に落ちている空き缶も躊躇なく拾うことだろう。この考え方が、ともいき主義においては重要なのである。

現在の日本は様々な困難を抱えている。それを乗り越えるためには、私たち自身が日本のオーナーだという意識を持ち、責任心情によって行動を起こすことが必要だ。また、オーナーシップの意識は日本だけに発揮されるものではない。SDGsで掲げられた一七のゴールが示すように、世界は今も多くの課題を抱えている。これらを遠い国で起きている他人事ではなく自分事として捉えれば、環境を良くするために、資源を枯渇させないために、戦争や紛争を止めるために自分にできることはないか、と考えるようになるだろう。

地球は八〇億人の共有の持ちものである。一人ひとりのオーナーシップの意識が実際の行動を生み出し、それらの協働・共創によって社会を変えていく大きな力となることが、ともいき主義の世界観なのである。

私たち一人ひとりは、生まれながらにして莫大な富を持っている。大切なのは、その富を意識し、有効活用しようとする努力である。一人ひとりが真に地球のオーナーであることを自覚し、「ともいき」に目覚めた時、あらゆる問題を解決しうる人格がもたらされる。そして、かつて体感したことのない誇りと尊厳が人間社会を満たす。私は「日本国の権利証書」を発行し、毎年の成人式において新成人に手渡したいとさえ思っている。それによって、若者の社会に対する参画意識も主体的なものへと変わっていくだろう。

地球の資源と可能性のオーナーは自分――このオーナーシップ意識が「愛」という人間の最大の動機と重なる時、それは世界を変える力、「ともいき」世界をつくる力となる。

オーナーシップはまた、消費者としての私たちの意識も変える。

世界的に物価が上昇している昨今、多くの消費者は価格にばかり目を向け、その裏側で働く人々のことに思いを巡らせることは少ないだろう。世界を見渡してみれば、農薬で健康被害に晒されながら綿花を栽培する子どもたち、人権侵害レベルの低賃金で作業を強いられている女性たちが無数に存在し、下請法が施行された日本でも下請けいじめのような行為が多発している。これらはまさしく資本主義が生み出した歪みである。

オーナーシップの意識に目覚めれば、価格だけで選択するのではなく、「これは世界や地球にとって本当に良いものなのか」という視点が生まれ、消費活動にも反映されるようになる。子どもたちは今、学校でＳＤＧｓについて学んでいるが、私はそれにプラスしてオーナーシップに関する教育も必要だと考えている。

他方、企業の事業活動は市場動向や顧客意識に左右されるため、常に価格とコストのせめぎ合いが生じる。消費者側のオーナーシップの意識が低ければ、コストダウンを望む企業はそれに合わせて価格や品質を下げるようになり、社会全体の質も下がっていく。それでは高質再生産の経済にはならない。一人ひとりの消費者の意識と行動が、企業を変え、社会の質を高めていくことを、私たちは今こそ強く自覚する必要がある。

私たちが手にするものの裏側では、どのようなことが起こっているのか。それを知ることで商品やサービスに対する批評が始まり、多くの人が社会にとってより良い商品を求めるようになれば、企業もそのニーズに応える良い商品をつくるようになる。それが高質再生産や高付加価値社会につながっていくのだ。

また、オーナーシップに目覚めた人同士が共に生きることで、「共に栄える」「共に価値を上げていく」といったサイクルも回り始める。私はこうした質の高い共創・協働の実践を日本から発信し、世界をより良く変えていきたいと考えているのである。

## 責に生きる

「責に生きる」とは、「世の中に起こる全てのことは、自分にも責任がある」という気持ちである。

たとえば二〇二一年、東京を走る京王線の車内で一人の若者が高齢男性をナイフで切りつけた上、ライターのオイルを社内に撒き、火をつけたという事件があった。車内は大混乱に陥り、列車は急停車、乗客は必死に車窓から逃げたというニュースだった。事件後は「犯人を厳罰に処せ」「犯人の親の顔が見たい」といって非難する人が相次いだ。

もちろん、この若者が犯した罪は非常に重い。しかし、私は次のように考え、その若者に伝えたいと考えた。「失業し、友人も持てず、孤立してしまった貴方の状況についでは、この私自身にも責任があります」と。個人に対する同情や憐れみではない。自分が暮らす社会で起こること、その何分の一かは自分にも責任がある、と考えるからだ。

私たちの社会は全てつながり合っている。ならば、自分の行動が遠く離れた場所の知らない誰かに影響を与えることもある。だからこそ、常に誠実に、愛を持って人の為に生きることが大切になる。

そして、「責に生きる」意識を持って行動していれば、やがてそれは真善美に基づく行動となっていく。これが「ともいき」の実践においても大切になる。

## 唯心・唯物一体論的な世界観に生きる

世界には精神（心）のみを考える「唯心論」と、物質のみを考える「唯物論」がある。

しかし、どちらか一方に偏っていてはバランスのとれた生き方はできない。

私は不動産ビジネスに携わっているが、主な対象は土地や建物といった物質である。商品やサービスも大半は物質、もしくは物質を介して提供される。私たちは物質を無視して生きることはできない。

とはいえ、人間は物質だけで生きられるものではない。人生の目的や生きがい、心の喜び、平安、愛など、精神的な豊かさがなければ生きることはできない。多くの宗教はこの精神世界のみを扱う。昨今はオウム真理教や統一教会（現・世界平和統一家庭連合）の問題などもあり、宗教に対するアレルギーが広がっているが、健全な心の豊かさを与えてくれる宗教や哲学、思想もたくさんある。

だが、精神世界のみを考えるだけでは人間は生きられず、物質の必要も満たされなければならない。物質について、あるいは精神について、バランスの良い考え方を持って初めて健全な生き方ができる。

それゆえ、ともいき主義の下では、「唯心・唯物一体論的な世界観」に基づいて物質的にも精神的にも必要が満たされ、豊かになる社会をつくっていくことが望ましいだろう。唯物論的な考えの人も、唯心論的な考えの人も、共に自由に生きられる社会を目指していくべきだ。

「ともいき」とは、必要な物質の分かち合いであり、豊かな精神の交わりである。物質と精神が一体となり高め合うことで、「ともいき」社会は実現される。

## ■物心両面で真に豊かな社会へ

物心両面で豊かな社会を構築していくためには、経済活動も「唯心・唯物一体論的な世界観」を持って進めていく必要がある。

これまで人類は、貧困からの解放と物質的豊かさへの願望から経済を営んできた。日本においても、敗戦時の物がない時代から必死で経済成長を求め、財（商品）とサービスにあふれる社会を実現してきた。

しかし、物質的には豊かになっても、精神的にも豊かでないと人間は決して幸福になれないことは、現代を生きる私たちが実感するところだ。これまで述べてきたように、ともいき主義には、物心両面で豊かな社会をつくる能力がある。

日本には生活保護費を受給している人が約二〇〇万人もいるという。経済的に行き詰まって生活保護者に認定されると、地域差はあるが、単身者で毎月一〇万円強の給付がもらえる制度である。医療費等の公共料金も無料になることを考えれば、一人当たり毎月二〇万円程度支給されていることになるだろう。福祉としては良い制度だが、そもそも、様々な理由により自助すらできない状態の人が多いこと自体が大問題である。

物心両面で満たされていない人が多いという事実から、日本は経済大国でありながら、二〇二二年の世界幸福度ランキングにおいて第五四位だという。アメリカ、ドイツ、フランス、カナダ、イスラエル、台湾などより、ずっと下である。

日本人は謙虚さを美徳とするため、胸を張って「自分は幸せです」と言わない人が多いのかもしれない。一方で昨今の日本を見れば、自殺やうつ病、いじめ、強盗、殺人といった悲惨な社会問題が増えていることも事実だ。これは、戦後以降の経済活動が必ずしも心の幸福に結びついていないことを示している。私たちが物ばかりを追い求め、心を忘れていたからではないのか。その意味でも、これからの日本は物心両面で豊かな社会を目指すべきであろう。それには、唯心・唯物一体論的なともいき主義で行くべきである。

経済とは本来、真善美や愛を物心両面で感じられるような財（商品）やサービスを創造し、提供していくことである。つまり、高質再生産、高付加価値の財（商品）とサービスを提供し、生活や人生の質を引き上げるための活動である。

それはファンをつくるための活動と言ってもいい。ファンをつくるには、心から喜んでもらえるだけの「本物」をつくるほかはない。「私の人生を変えてくれた」と思ってもらえるような本物をつくることである。ともいき主義は利他を中心に据えているため、人々と社会が本当に喜んでくれるような「本物」をつくることを促す。

私もビジネスをする際は、常に唯心・唯物一体論的なともいき主義を肝に銘じている。新しい事業を始める時もそうである。物心両面を考え、「人の心が喜ぶものか」「これは人々の為になるか」「社会の向上に役立つか」を第一に考える。そして、自らの考えが正解だった時、利益は後からついてくる。

経済活動は、人々の物心両面の幸福を目指すためにある。ただし、経済活動だけでは足りないだろう。経済は、物質的必要や欲求を満たし、一時的に心を喜ばせることはあっても、永続的で完全な満足を与えるものではないからだ。

心が本当に満たされるためには「ともいき」文化が必要である。金銭や物々交換、利害関係が入り込まない人と人の交流、共に生き、支え合い、助け合う、また共感し、理解し、愛し愛されることが、「ともいき」文化である。

それらは人間にとって絶対的に必要なものである。私の人生においても、それを強く感じている。物質も金銭も、また損得勘定も超えたところに、人の本当の幸福がある。

質の高い物による豊かさや幸福と共に、人と人の間にある深い思いやり、愛と理解があって初めて、人の心は満たされる。

## ■高齢者も生き生きと活動できる国造り

ともいき主義の国では、高齢者は自分のできる範囲で様々な活動に携わり、その旺盛な意欲によって社会を活気づける。また、高齢者はその知識や経験を生かし、生涯現役で人の役に立つ仕事をする。こうした社会の先に、私は「老後はみんなで公務員」の時代が到来すると考えている。

日本は世界有数の「お年寄りの多い国」である。平均寿命が延びて高齢者が増えていく社会は、それ自体喜ばしいことである。日本が有数の長寿国であることは、世界に誇れる自慢の一つであろう。だからこそ、元気で長生きするお年寄りが増えてほしいと思う。

そのためには、「健康寿命」の長い国であることが幸せな国造りにおいて重要になる。健康寿命とは、「介護に至らず、自立した生活を送れる期間」をいう。

健康寿命の延伸には、肉体的にも精神的にも元気さを維持するための工夫が必要だ。ともいき主義の国では、高齢者の社会参画の意欲をかき立て、これまで培ってきた貴重な知識や経験を社会で役立ててもらうための仕組みも整備される。

実際、前向きな気持ちを持つお年寄りは近年、非常に増えている。六五歳を超えても働いている人は増加傾向にあり、現在仕事をしている高齢者の約四割が「働けるうちはいつまでも働きたい」と回答するなど、高い就労意欲がうかがえる。

健康寿命を力強く支え、高齢者の就労意欲に応える社会こそが、ともいき主義の国である。健康寿命が延びれば、社会保障費も抑制され、国の財政改善に寄与できる。何より、「私は必要とされている」という感覚は、高齢者にとって元気の源になるだろう。

働き場所は国や自治体が主体となって用意すべきである。直接的な支援でも、前述したスウェーデンのように協同組合を介した間接的な支援でもいい。定年後もやりがいや生きがいを持って活動し、収入を得ながら、広く社会に貢献できる場を用意するのだ。それが「老後はみんなで公務員」の社会である。

たとえば、高齢者が警察と協力し、街の見回りをして犯罪を減らす仕事（シニア・ガーディアン）も考えられる。また、学校は「生きる力」を育む場所であるから、高齢者が人生で得た「ともいき」の経験や知恵を学校で教える仕事もできるだろう。昭和という激動の時代を生き抜いてきた高齢者は、コミュニケーションが希薄になった現代の子どもたちに役立つ貴重なノウハウがたくさん有している。

先生のサポート役として高齢者が学校に常駐し、放課後に子どもと遊び、人生相談に乗る役割を担ってもいいだろう。豊富な経験や知識が頼りになる場面も必ずやあるに違いない。高齢者も様々なコミュニケーションを通じて、現代の子どもや若者の興味・関心を学ぶことができ、新たな刺激を受けることができる。

他にも、高齢者が輝いて働ける場はいくつもある。たとえば今、コロナ禍もあってインターネットを使った販売流通が増加し、物流分野は人手不足に陥っている。そこで、自宅周辺といった限定的な範囲で、高齢者に荷物の配送を担ってもらうというのは、どうだろうか。運送会社が各地域の拠点まで荷物を運び、そこから個別のエリアに向けて高齢者がウォーキングを主体にして荷物を運んでいく、というわけだ。

時間指定や再配達といった課題はあるが、実はこうしたサービスの裏では不在の家に何度も足を運んだり、「出掛けるから今すぐに配達して」といった自分都合の過剰な要求に振り回されたりしている配送業者の現実がある。「ともいき」の視点に立てば、配送する側の手間を減らすために受け取る側が融通を利かせる、という発想も生まれるため、高齢者が配送を担う際も余裕を持った受け渡しの仕組みがつくられる。

何より、高齢者にとっては体を動かす習慣になり、人の役に立ち、同時にお金も稼ぐことができる。依頼する企業側も適正な報酬は払いつつも人件費が抑制でき、流通コストが下げられるというメリットが生まれる。

このようにあらゆる産業において、補助職員という位置づけで高齢人才（ともいき主義では人材を人才と称する）を活用していくことが、ともいき主義の国では当たり前になるのだ。

## ■シニア・オリンピック

競技スポーツの観点からも一つ提案したい。それは「シニア・オリンピック」の開催である。

現在、生涯スポーツの世界大会「ワールドマスターズゲームズ」（国際ワールドゲームズ協会主催）がほぼ四年に一度のペースで夏季・冬季に開催されている。この大会は「中高年齢者のための国際総合競技大会」という位置づけだが、参加者は主に三〇歳以上で、競技によってはそれより若い選手が参加できるものもある。純粋に高齢者だけを対象にした競技大会とは、ややスタンスが異なるのだ。また、日本国内では高齢者の国体とも呼ばれる「日本スポーツマスターズ」（公益財団法人日本スポーツ協会主催）があるが、こちらも原則三〇歳以上が対象である。

私自身は二〇年以上も前から、通常のオリンピック・パラリンピックに加え、一定の年齢以上の選手を対象にした「シニア・オリンピック」の開催を望んできた。私が考えるシニア・オリンピックでは、現役をリタイアした六〇歳以上を参加資格とし、本当の意味で高齢者のための競技大会にする。そして、シニア世代が目標を持ってはつらつと競技に臨み健康寿命の延伸を図る大会を、世界有数の長寿国である日本から始め、全世界に広めていきたいと考えている。

七〇歳、八〇歳、九〇歳になっても元気に競技する高齢者の姿は、同世代の人々はもちろん、若者たちにも勇気や夢、希望を与えることだろう。これまで運動とは無縁だった人にとっても、競技への関心や健康づくりのモチベーションにつながると考えている。

また、私は健康寿命の延伸に向けた啓発活動と共に、生活の中で実際に使える器具や機器の開発支援も行っている。なぜなら、超高齢化時代を迎えた日本において、高齢者の健康寿命を延ばすことは「ともいき」社会の実現につながると考えるからである。

その一つが、姿勢改善特化型のリハビリウォーキング器具「健康寿命ウォーキング」を活用したメソッドである。これは、大阪の柔道整復師・川原たけまさ先生が開発した補助器具で、二本のポールを使って歩行することにより要介護からの状態改善を促す優れたメソッドだ。この健康寿命ウォーキングを継続的に実践することで、曲がった腰や背中が徐々に伸び、ほぼ真っ直ぐな状態で歩けるようになる。

データによれば、六〇歳以上の高齢期女性の半数以上が尿もれに悩んでいるという。主な原因は、腰まわりの骨盤底筋群のはたらきの低下である。健康寿命ウォーキングを行うと、骨盤底筋群のはたらきが改善され、尿もれの防止にもなる。

また、スマートフォンのアプリなどの歩数計で毎日の歩数を記録し、その数に応じて高齢者が喜ぶ商品やサービスと交換できるポイントを付与するという仕組みも考えられるだろう。すでに自治体や企業でも、健康維持に努める高齢者の努力に報いるような取り組みを行っているが、より高齢者が取り組みやすく、意欲的になるような仕組みを考える必要がある。

今後の日本では、独居老人の三人に一人が老後破産すると言われている。「老後資金は夫婦二人で一億円が必要」という話を耳にすることもある。しかし、これらの言説は高齢者や若者を不安に陥れるだけだ。また、それほどの貯金をするのは大変なことである。

私からすると、「現役時代にできるだけ老後資産を貯める」という考えに固執すること自体がナンセンスである。当然、ある程度の老後資金は必要だが、今後はそれよりも「老後収入」を重視していく考え方にシフトしていくことが大切になる。

仮に老後資金が少なかったとしても、リタイア後に定期的な収入があれば、十分に生活していけるはずである。そのための一つの方法が、「老後はみんなで公務員」であり、先のポイント付与のような仕組みなのである。

## ■高質再生産による高福祉社会

ともいき主義の国では、北欧諸国のように「高福祉」も実現される。年金が充実したものになり、安心感が広がれば、経済発展に寄与しないタンス預金はなくなり、人々は貯金に精を出す必要がなくなる。その分、お金を自分や家族のための消費や、投資等に回すようになる。消費や投資は経済の好循環をつくり、発展を生み出す力になる。

健康寿命が延伸されれば、医療費や介護費は低減していく。その分を、保育園から大学までの教育費、子育て費用の無料化等に充てるべきである。今日は教育費のために多くの人が貯金に精を出さなければならない状態にあるからだ。何より、国や自治体におけるお金の流れを完全に透明化し、「税金が意味のない事業に消えていく」「税金が議員の高い給料や贅沢に消えていく」という感覚をなくしていくべきである。

高福祉をしつつ、経済成長し、豊かな生活をすることは可能である。実際、北欧諸国やスイスはそれを実現し、ともいき度と幸福度の高い社会をつくり出している。そうした社会では将来や生活の心配が少ないから、より人間的で成熟した社会がつくられている。

この高福祉を実現し維持する基盤は、生産性が高く、安定して成長する「高質再生産」

の経済である。最先端の科学技術を取り入れ、「ともいき」の考えに立った高品質の商品やサービスを次々と生み出していくのだ。松下幸之助は、戦前に行った訓示の中で「生活必需品を水道の水のごとく無尽蔵たらしめ、無代《むだい》に等しい価格で提供する」という言葉を残している。その理念を今度は「ともいき」による高質再生産でなしていく。すなわち、高品質なものをつくり、水道の水のように世界中に行き渡らせていくのだ。

さらに、「高効率濃密社会」をつくるために、短時間勤務でも高い生産性と収益をもたらすような生産形態、勤務形態を工夫していくべきだろう。ここでも最先端の科学技術を活用し、ＤＸ等を推進していくことが必要である。

## ■子どもや若者が夢を抱ける社会

日本以外の先進国では、六五％以上の若者たちが「夢を持っている」と答えている。ところが今の日本では、「夢を持っている」と答える若者はわずかに三五％しかいない。それほどに若者たちの間には「しらけた空気」が漂っている。

夢を持てない社会ではモラルが低下する。ここに経済的な困窮や教育機会の格差が重なれば、当然ながら犯罪も増えていく。こうした状況を改善するために、一体何が必要なのか。私は、ともいき主義による国造りしかないと思っている。

まず、ともいき主義による高質再生産、高効率濃密社会の実現である。なぜなら、社会を変える要因の八五％は、科学技術による革新に起因していると言われているからだ。若者が夢を持てる社会にするために、科学技術が果たす役割は非常に大きい。

つまり、サイエンス・リテラシー（科学の分野に関する知識や能力を活用する力）の向上が大切なのである。若者たちに、先端技術がいかに社会を大きく変えうるかという夢を与え、その技術に親しませ、参加させることが必要だ。それによって、起業や研究開発に夢を抱く若者も増えていくことだろう。また、年齢制限に下限をつけない科学技術関連のコンテストも開催し、イノベーションを促進することも必要だろう。優秀な成果を残した子どもや学生には、賞金や開発支援はもちろん、飛び級での進学や海外留学なども支援することで、若者の研究意欲、社会変革への意欲を盛り上げていきたいものだ。

実際に海外へ渡り、五感を通して様々な文化を体験することは大切だ。しかし現在は、インターネットを通じて世界中の人々と交流することもできる。また、日本は在留外国人をはじめ、インバウンドでやってくる海外の人々もたくさんいるため、こうした人々と交流する機会を設ければ、日本に居ながらにして様々な文化を学ぶことができる。今後は留学にせよ、国内教育にせよ、新しい知識と経験を積み、しっかり学んで夢を実現しようという若者たちを数多く育成していく、という広い視点で教育を考えていくべきである。

ともいき主義では世界を「一つの家族」とみなし、共に生き、成長していくことを旨とする。だからこそ、同質の人だけが集まる狭い空間にいるのではなく、早くから多文化・多民族にふれることが重要だ。様々な生き方や考えにふれる中で、刺激を受け、自分は相手の為に何ができるのかを考えさせるのである。私たちは誰でも、若い時から刺激が必要である。若い時にどれだけ多くの良い刺激を受けたかで、その後の人生は大きく変わっていく。「ともいき」の考えの下で積極的に世界にふれていく時、自分の果たすべき役割＝夢も生まれてくる。

さらに、若者に職業選択の自由を豊かに与えるべきである。たいした保障もなく、給料も安い非正規雇用ばかりの社会では、夢が持てないのは当然だ。正社員で入社しても、就職先とのミスマッチングによって短期間で退職し、非正規雇用になる人も多い。エスカレータ式の人生が良しとされ、終身雇用制度の影響も残る現在の日本では、一度でも道を踏み外してしまうと職業選択の自由はたちまち制限されてしまう。

こうした状況では、結婚し家庭を持つという夢は果たせない。日本では、ここ三〇年で生涯未婚の人は五倍に増え、出生数はピーク時の三分の一にまで減少している。しかし、十分な年収を得られるだけの正規雇用を増やし、転職が選択しやすい環境を整えれば、結婚を望む人や出生数も増えてくるに違いない。たとえ非正規雇用であっても、最低賃金を上げ、十分に暮らしていけるだけの給与形態にすべきだ。また、女性が働きやすく、出産後も希望すれば働き続けられる環境、柔軟にキャリアを高められる環境もさらに充実させていくべきである。

今回のコロナ禍で働き方も少しは多様化したが、まだまだ変えられることはたくさんあるだろう。一つの参考になるのが、大手総合商社・伊藤忠商事の例である。海外との仕事が多く、ハードな業種というイメージがあるが、子育てや介護を行う社員も働きやすい職場となるよう、十数年にわたり各種制度の改善を積み重ね、働きやすさと高い生産性の両立を実現している。特に効果的だったのは、朝型勤務制度だった。

二〇時以降の勤務を原則禁止とし、早朝五～八時までに勤務した場合は、深夜残業と同様の割増賃金を支払うとしたところ、現在は五割を超える社員が八時前に出社している。その結果、生産性が向上しただけでなく、二〇一〇年に〇・九四にすぎなかった社内出生率が、二〇二一年には一・九七まで上昇したという。これは企業と社員の「ともいき」が大きく実を結んだ結果といえる。

このような配慮を社会の隅々にまで浸透させることで、老人も若者も子どもも豊かさと幸福が享受できる「ともいき」社会に近づいていけるのである。

## ■ともいき主義の実現に向けた長期的な国造りの展望を

老人も若者も子どもも生き生きと暮らせる社会を実現するためには、優れた政治力が必要である。それには、経済や教育など各分野に精通し、かつ、ともいき主義を実践する政治家が増えることが望ましい。

大平正芳《おおひらまさよし》首相は一九七八（昭和五三）年、総理大臣に就任した際、産官学民から専門家を集めて九つの政策研究会を発足させ、「一政権を超えて長期的視野に立ち、国民の立場に立ち、長期にわたる国づくり、社会づくりの大きな方向性をお示しいただきたい」と指示した。「文化の時代」「田園都市構想」「家庭基盤充実」「総合安全保障」「環太平洋連帯」「対外経済政策」「多元化社会の生活関心」など、対象となる領域は多岐にわたっている。

研究会発足の背景には、米ソ冷戦の時代から地球社会の時代へ、経済中心の時代から文化重視の時代など、来《きた》る二一世紀に向けた長期的な国造りの展望があり、ともいき主義にも通じる未来を描いていたことがうかがえる。

それと同様に、現代の政治家はともいき主義の実現に向けて経済・教育・文化・科学などの専門家を集めて話をよく聞き、その意見を机上の空論とせず、実現性と実効性の高い政策としてとりまとめ、真摯に実行していくことが必要である。

国の土台をつくる学校教育にも変革が必要だ。単なる知識の詰め込みではなく、先生と子どもが共に愛と「ともいき」を学び合う教育が必要だ。差別やいじめの起こらない、助け合い、支え合いの「ともいき」教育の風土をつくっていくべきである。

また、子どもたちに夢を持たせる教育をしてほしい。生まれ育った背景などに一切関係なく、一人ひとりの個性や特徴を尊重し、それを伸ばす教育を通して「自分はこんな人間になりたい」「こんなことを成し遂げたい」という夢が早くから抱けるような学びでなければならない。

こうした人間教育に加えて、一筋縄ではいかない実社会の諸問題に対応するための考え方やスキルも身につけさせることが肝要だ。先生が正解を用意するのではなく、子どもたち自身に考えさせる問いを投げかけ、子どもたち同士の対話を通して「生きる力」を育んでいくのだ。幼い頃からこうした学びにふれていれば、実際に社会に出た時、問題解決に寄与できる人になることだろう。

また、経済政策では、単なる金融緩和だけでなく、企業が設備投資と雇用を増やすための経済政策、時代を先取りする新産業を生む戦略などを打ち出していくのだ。それにより企業の利益が増え、働く者の賃金が上がり、消費が増えるという好循環の成長サイクルが生まれ、高質再生産経済の基盤となっていくだろう。今や企業活動は、単なる利潤追求の場ではない。様々な問題を解決する重要な社会ツールになっている。企業活動も、ともいき主義の下で真の意味で社会に貢献する存在となることが望まれる。

さらには、高質再生産による経済成長を促すため、日本のどこかに、これまでに類をみない大胆で革新的な国家戦略特別区や特別な経済都市を設けてもいいだろう。シンガポールやドバイのような経済都市が、これからの日本にもやはり必要だ。それは経済ビッグバンの拠点となり、国全体に大いなる刺激と経済的恩恵、ミラクルマネーをもたらす。当然ながら、この拠点も、社会全体に恩恵が及ぶよう、ともいき主義の考え方で計画・推進すべきである。

世界と社会へのオーナーシップは、一部の者にではなく、国民一人ひとりにあるという意識の下で、誰でも少額からその拠点への投資に参加できる仕組みを設けるべきである。規制緩和や税制の見直し等を通して利益を還元するようにすれば、投資した人々のオーナーシップをさらに喚起し、広く世界からヒト・モノ・カネ・情報を呼び込めるはずだ。そこはまた、共創・協働の一大拠点ともなり、多くの雇用とビジネスチャンスを生み出す場所にもなる。

今日、高質再生産社会の実現を阻害している要因として、個人の利己的欲求や社会の集団的な利己的欲求などがある。しかし人々の利己的欲求を乗り越え、ともいき主義による政治、経済、教育、文化、科学が広まる時、高質再生産と高福祉の「ともいき」社会が実現していく。それには、一人ひとりがオーナーシップ＝主意識を持ち、「社会全体の喜びと幸せを実現したい」という責任心情を養うことが必要だ。

人によっては生まれながらにして受け継いだ「既得権益」がある。たとえば遺産や地位のようなものである。それはそれでよい。しかし、既得権益はその家系だけのもので、社会全体のものではないから、ともいき主義においては無価値にすぎない。その既得権益を社会全体のために役立てようという意志があれば、それは大いに価値のあるものになる。

いずれにしても、大切なのは魂（霊《たま》しい）に生き、永遠的価値を持つ愛と「ともいき」に生きることである。人生は単に一時的な快楽の場ではなく、永遠に続く霊しいの成長の場なのだから。

## ■あなたにしかできない「ともいき」を

全ては「ともいき」につながっている。「ともいき」は生命や宇宙の根本であり、創造の摂理であり、その動機は「愛」である。この真理に根ざして生きている私たちは、「ともいき」によってのみ真に幸福な社会を築くことができる。「ともいき」社会こそ、私たちが生きる目的であり、心から求める未来図なのだ。あらゆることを通して、それを築く努力をすべきである。資本主義が限界を迎えている今だからこそ、政治、経済、教育、文化、科学、その他あらゆる分野に、ともいき主義が必要なのだ。

ぜひあなたも、ともいき主義の運動に参加していただきたい。ともいき主義は、家庭、地域、学校、企業、国家など、社会のあらゆる場面で実践することができる。あなたが今いる場所もその一つだ。愛の表現方法がそれぞれ違うように、ともいき主義の実践もそれぞれの個性で表現される。あなたらしい、あなたにしかできない表現で、ともいき主義を実践してほしい。こうした実践の多様性が「ともいき」社会をより豊かなものにしていくのだ。

私たち一人ひとりがこの運動の担い手となるなら、必ずや社会はより良いほうへ変わっていく。あなたが参加するかしないかで、大きな違いが出てくるかもしれない。「ともいき」社会が到来した未来のイメージを心の中に鮮明に描き、そこへ至る道筋を一歩ずつ進んでいくのなら、必ず実現できる。私はそう確信している。

# おわりに

本書は、ともいき主義の理論的基盤として執筆したものである。

これまで述べてきたように、ともいき主義は「愛」を最大の動機とし、オーナーシップ（主意識《あるじ》）が根本理念となる。この二つによって社会を変え、国と世界を変えていく運動へと発展させていくものである。

この運動は、オーナーシップに目覚めた「国主《こくしゅ》」による志の愛を動機とする爆発的な心情的衝動が原動力となり、家庭の為、社会の為、国家の為、世界の為の、あらゆる活動を通じて具体的に世の中を変えてゆく社会運動である。

愛は永遠不変にして絶対的なもので、宇宙の根本は愛そのものであり、自然界は愛の縁起により成り立っている。また、人は愛なしには生きられないのも真実であり、それゆえに愛を根本理念とするともいき主義は、宇宙的真理と定義できる思想である。

私たち一人ひとりが、この国の主でありオーナーであり、地球と宇宙のオーナーであると悟る時、国と世界に対する責任心情と使命感がふつふつと込み上げてくるのも必然である。それは、私たち人間が本来宇宙のオーナーであり、宇宙的愛を持って全世界の人々と地球の全てを愛することができるようになるという偉大な存在であるからだ。

資本主義社会は資源の争奪戦を講じているが、そもそも宇宙創造の動機は愛であり、愛は永遠にして無限であるから、地球資源もまた無限である。それゆえに人類は、愛による無限の創造力と管理能力で地球資源を活用し、人類の無限の豊かさを追求しなければならない。ともいき主義に照らせば、外国との政争を有利に進めるため、あるいは自国の経済を潤すためだけに地球資源を収奪することは愚の骨頂である。

また、経済活動の本質は金儲けではなく分配であり、人類は宇宙資源の主としての自覚と責任心情を持って、愛を動機として地球資源を活用し、付加価値の高い財（商品）とサービスを生産し、公正に分配することを経済活動の目的としなければならない。

世界のあらゆる問題を解決しうる「ともいき」による政治、経済、教育、文化、科学、そして世界の実現は、私の若い時からの悲願であった。さらに今日、それなしには世界平和も、人々の幸福も繁栄もないと信じる私の思いは、ますます強くなっている。

ともいき主義は、私が推し進めてきた仕事の中枢にあるものである。その仕事を通じて、資本主義と共産主義を乗り越えたのちに来るべきは、ともいき主義しかないと強く信じている。人類は、ともいき主義によってのみ、真の平和と幸福と繁栄を築けるのだ。

読者の皆様が、ともいき主義による理論武装を通じて、愛を動機として、愛の原動力で現実的な困難と戦い、社会を変えていく一端を担ってくだされば、感謝に堪えない。

ともいき主義を推し進めていくことにより、私たちはこの世に人間として生まれた意味と目的、意義と幸せを実感することができると信じるものである。

読者の皆様、老いも若きも関係なく、ぜひとも国主となって、永遠の愛の価値観で肉体の限界に挑み、地球資源の主として世界万人の無限の豊かさのために生きる国、国主が一家族として辛苦を共にして喜びを分かち合う国（大家族共生主義社会）、真善美の財とサービスを生産し、高濃密で高効率な高付加価値社会を実践する豊かな国、スポーツと芸術文化の開花する国、子どもや青年が夢を持ち、高齢者に至るまで全ての人が生き生きと生涯にわたって活躍する国を造ろうではありませんか!!

二〇二三年四月吉日

柳瀬 公孝

## 国主募集のご案内

### 本をご購読いただきました皆様へ

「ともいきの国をつくる会」は、「共に生きる」という姿勢、助け合い、分かち合いの精神に基づいて、政治、経済、教育、文化、科学といった社会全体のシステムを、革新的につくり上げることを目指す会です。それにより社会全体が豊かになり、一人ひとりがその豊かさを享受し、みんなで幸福を実感しながら暮らせる社会をつくります。

本書の中でも言及した通り、ともいき主義の行き着く先は、一人ひとりが国の主権者たる「国主」としての自覚を持ち、生まれ変わることで、日本に責任を持ち、各自がオーナーシップを遺憾なく発揮し、活躍していくところに、無限の可能性を持った発展的な世界を築いていくことにあります。

今後、ともいき主義の理念の下、国主になられる方々はどんどん増えていくことでしょう。現代社会において、それは必然的で不可逆的な流れです。

「ともいきの国をつくる会」ホームページでは今後、国主の仲間たちが集うコミュニティや、ともいき主義に関するわかりやすく親しみやすいコンテンツをさらに充実させていきます。

左ページのアドレスやＱＲコードより、「ともいきの国をつくる会」ホームページにアクセスいただき、皆様も「ともいき主義」の理念の下に国を経営（運営）していく国主としての活動を共に致しましょう。

ともいき主義、ともいきの国造りに関する
最新情報はこちらから。

**ともいきの国をつくる会**
**URL：https://tomoikinokuni.com/**

《著者略歴》
**柳瀬 公孝**（やなせ　まさたか）
1966年生まれ、兵庫県神戸市出身。共生バンクグループ代表。自衛隊を経て、1992年から資産家向け財産コンサルティングを始動。その後、建設・不動産会社を設立し、定期借地権付き分譲マンション事業などを行う。1997年、都市綜研インベストバンクグループ（現・共生バンクグループ）を設立し、不動産開発、不動産証券化などの事業を行う。現在は、テレビＣＭが大好評の不動産ファンド事業「みんなで大家さん」をビジネスの中心に据え、グループ企業はバイオテクノロジー、テーマパーク、ホテルなどの分野で20社を超える（総資産額1000億円超）。2026年度末には、成田国際空港の隣接地に、敷地面積45万5000平方メートル（東京ドーム10個分）、総事業費6000億円の世界的六次産業化拠点「ULTRA COLD FOOD VALLEY」が完成予定。
人や地球のために生きる「ともいき（共生）」の思想に基づいた企業活動を実践。経営の傍ら、2009年には「志士経営者倶楽部」を設立して120回にわたる勉強会を主宰、2011年には64名の国会議員から成る「国家経営志士議員連盟」を設立して国を経営する思想を広める。

日本から世界を変える
**ともいき(共生)主義**
**資本主義、共産主義を超えて**
**真に幸福で豊かな社会をつくるための思想と実践**

---

2023年５月30日　第１版第１刷発行

著　者　　柳瀬 公孝
発　行　　株式会社ＰＨＰエディターズ・グループ
〒135-0061　東京都江東区豊洲5-6-52
☎03-6204-2931
http://www.peg.co.jp/

印　刷
製　本　　シナノ印刷株式会社

---


ISBN978-4-910739-28-1